à autre se garait pour laisser passer les trains + rapides. Dans chaque gare assez importante il y avait un groupe de circulation routière ou ferroviaire et c'est son chef, un sergent, qui put me donner la bonne direction. Tout rentra dans l'ordre et nous débarquâmes à Morhange dans la Moselle, dans la 2° nuit et en avant sur chenilles pour cantonner dans un petit village Petit-Tenquin. Nous changeâmes 3 ou 4 fois de secteur pour passer l'hiver dans les environs de Sarreguemines sur la frontière franco-allemande. Quelques escarmouches. Les chars étaient dans un grand fossé, le canon à hauteur de défilement. Septembre : il pleuvait sans cesse. Heureusement mieux lotis que les fantassins, nous pouvions tendre le câble de remorquage en acier

entre 2 arbres, recouvrir le char de sa bâche et avec les bâches des autres chars faire une tente complètement fermée. Seuls les guetteurs restaient sur la tourelle. Puis nous allâmes nous installer (ma section de 5 chars) et ses équipages dans la ferme de Schnecken- brühl. Noël y fut fêté. Et on nous fit redescendre à Remoncourt

MOI RENÉ TARDI
PRISONNIER DE GUERRE
AU
Stalag IIB

www.casterman.com

ISBN 978-2-203-04898-0
N° d'édition : L.10EBBN001643.N001

© Casterman 2012

TARDI

MOI RENÉ TARDI
PRISONNIER DE GUERRE
AU
Stalag IIB

Couleurs : Rachel Tardi

Prix de la mise en couleurs au Festival de Solliès-Ville. 2012.

casterman

Dessin de Jean Grange, 17-7-1941 (Stalag V B).

Le tien, René, le mien, Jean. Tous deux partis à la guerre en septembre 1939. Tous deux vaincus en 1940, encerclés, capturés, parqués dans les champs avec des milliers d'autres, puis déportés en territoire ennemi dans des wagons à bestiaux, jusqu'aux camps de prisonniers, Stalags, Oflags, qui allaient les « accueillir » pour quelques années, toutes nationalités confondues (comme ils avaient « accueilli », dès 1933, des communistes allemands et des opposants au régime national-socialiste). Le tien pour cinq ans au Stalag II B, sous le matricule 16.402, à Hammerstein, en Poméranie orientale, le mien près de quatre ans au Stalag V B, sous le matricule 4.536, à Villingen, 800 m d'altitude, dans la Forêt-Noire.

René et Jean, nés en 1915, furent vraisemblablement conçus, l'un comme l'autre, lors d'une permission de leurs pères, au cours de l'année 1914. Eux-mêmes soldats vingt-cinq ans plus tôt, précipités dans le vortex de la frénésie guerrière de ce premier conflit planétaire, leurs géniteurs avaient survécu à la gigantesque « entretuerie » des nations « civilisées »

et ne connurent ni l'humiliation de la défaite, ni l'épreuve de la captivité. Mais ils revinrent de « la Grande Guerre » brisés en mille morceaux, hallucinés, leurs nuits hantées par l'horreur vécue quatre années durant, les images de carnage et les hurlements des agonisants à jamais incrustés dans leur mémoire. Et leurs fils respectifs, René et Jean, qui ne firent vraiment connaissance avec eux qu'après l'Armistice, grandirent dans l'épouvante des récits de batailles qu'ils entendaient et comprenaient de mieux en mieux en prenant de l'âge. Cette guerre a donc, comme pour beaucoup d'autres, profondément marqué l'histoire de nos familles respectives. Et les vingt-cinq années écoulées entre la Première et la Seconde Guerre mondiale n'auront pas suffi à guérir le traumatisme des survivants, ni à effacer les blessures de l'effroyable tragédie qui fit dix millions de morts. Les pères de René et de Jean, nos grands-pères, croulaient sous ce fardeau, trop lourd à porter au fil du temps, d'une douleur impossible à évacuer dont ils ne se remirent jamais.

Un quart de siècle plus tard, faits prisonniers à 24 ans, leurs garçons sont revenus brisés à leur tour : mon père, amaigri de trente kilos, avait perdu ses beaux cheveux noirs frisés, qui avaient tant séduit ma mère. Toutes petites, ma sœur aînée, Rosine, et moi, écoutions les yeux arrondis cet immense papa squelettique nous raconter des bribes de son vécu de captif. Ce qui nous plaisait, c'était la note d'humour qu'il mettait, pour ne pas nous effrayer sans doute, dans son évocation des choses les plus éprouvantes comme la faim, cette faim omni-présente dans le témoignage de René. Il nous parlait de « l'unique petite cuillerée de confiture » qui, malgré son goût insipide, venait parfois ensoleiller une journée par les quelques secondes de délices qu'elle offrait soudain aux papilles de ces jeunes gens en manque de tout. Quant à ce qu'il appelait la « soupe de poussière » – l'ordi-naire des prisonniers –, c'était pour moi une image si puissante que je la visualisais comme les résultats de quelque phé-nomène météorologique, un vent violent qui avait dû souffler sur le Stalag, balayant la poussière des baraquements, avant de la précipiter dans les marmites des cuisines ! Cette image m'amusait et me terrifiait tout à la fois.

Jean Grange, médecin auxiliaire au Stalag V B.

À son retour, Jean n'a pas pu prendre la parole, exprimer, rendre compte, raconter en détails les quatre sinistres années de privation de liberté. Pire, lorsqu'il lui arrivait de les évoquer, mon grand-père maternel, qui avait fait la Première Guerre mondiale, lui clouait le bec, raillant cette armée de vaincus de mai-juin 1940... « Ah, disait-il, voilà "le grand militaire" qui va nous raconter ses exploits ! ». Je me souviens qu'alors, mon père, plutôt que d'entrer en conflit avec cet

ancien combattant médaillé – de surcroît son beau-père ! –, avalait sans mot dire cette nouvelle humiliation et replongeait dans le silence. Sans doute comme des centaines de milliers d'autres qui, comme lui, n'avaient en effet ni exploit ni victoire magnifique à revendiquer, contrairement aux héros des tranchées... On ne se préoccupa guère à l'époque de chercher à savoir comment ils avaient vécu ces années de leur jeunesse salopée, là-bas, dans ces multiples camps où la lutte acharnée pour survivre leur avait révélé le meilleur mais surtout le pire de l'âme humaine. À la Libération, la révélation de la barbarie nazie à l'ouverture des camps de la mort, puis l'arrivée des survivants à l'Hôtel Lutetia, ainsi que la célébration de l'héroïsme des résistants français sous l'occupation, éclipsèrent totalement le retour des prison-niers de guerre. Il n'y eut pas d'espace pour la parole de ces derniers et leurs souffrances n'eurent pas droit de cité. Ils demeurèrent des victimes silencieuses et ignorées de cette guerre, puis de la honteuse collaboration du régime de Vichy, qui les laissa par la suite otages aux mains de l'ennemi, main-d'œuvre de substitution enrôlée dans quelques 80 000 komman-dos de travail : exploitations agricoles, mines de charbon, usines métallurgiques, où beaucoup d'hommes perdirent la vie, épuisés par la faim et le travail forcé.

À la déclaration de guerre, jeune étudiant en médecine, Jean rêvait de pousser plus loin ses études pour pouvoir un jour enseigner. Lorsqu'il revint de captivité, il était trop tard pour les inscriptions aux concours : les places étaient déjà prises ! Tandis qu'il croupissait au Stalag V B, les mandarins lyonnais avaient pistonné leurs rejetons et les avaient casés à l'avance sur les listes des candidats pour les prochaines années...

Il dut renoncer à sa vocation de transmettre à des étudiants ce qu'il considérait comme « l'Art de la médecine ». À cause de sa captivité et du népotisme des élites du corps médical, Jean ne devint pas professeur et en resta longtemps meurtri. Mais il aura été un médecin respecté et très aimé et ne s'enrichit pas car sa pratique fut une sorte de sacerdoce, jamais un lucre.

René, lui, n'avait pu faire d'études comme il l'aurait sans doute désiré… Sentant venir la guerre, il s'était engagé dès 1935 dans l'armée. La guerre éclata en effet et il passa directement de la caserne aux commandes de son char, lequel n'allait pas le protéger bien longtemps de l'invasion nazie. Des jeunesses stoppées dans leur élan, en somme, des projets d'avenir saccagés, des existences gâchées par les années inutiles de détention, l'éloignement, les souffrances physiques, les mauvais traitements et les humiliations… Voilà ce que furent pour eux ces années de captivité. Voilà ce que Tardi, en 1980, avait demandé à son père de lui raconter, avec une précision chirurgicale, malgré le temps écoulé, et peut-être, par moments, les défaillances de la mémoire chez

cet homme déjà âgé et malade. Pour briser le silence insupportable qui s'installa dès le retour des « vaincus ». Pour donner enfin la parole à l'un de ces « dommages collatéraux » de la défaite que représentèrent 1 830 000 soldats faits prisonniers par la Wehrmacht, dont 1 600 000 furent envoyés dans des camps à travers l'Allemagne et la Pologne tombée sous le joug nazi. Et René Tardi s'est exécuté, répondant au-delà de ses espérances aux attentes de son fils, remplissant scrupuleusement, à la main, des petits cahiers d'écolier, afin que cet épisode tragique de sa vie de jeune adulte ne demeure pas comme un trou béant dans la mémoire familiale.

Et l'œuvre de mémoire se poursuit avec ce livre. Tardi s'y représente enfant, en culottes courtes, dialoguant avec son père et lui posant de multiples questions. Il donne à ce récit un décor réaliste, élaboré à partir de recherches minutieuses, de vérifications multiples, attaché comme toujours à une reconstitution graphique des lieux aussi exacte que possible, tout comme à la rigueur historique des faits. Car il s'agit bien là d'un témoignage, précieux et

unique par la façon dont René dépeint cette période si peu valorisante pour le jeune homme qu'il était, idéaliste et fougueux à la veille de la guerre, et revenu de captivité plein d'amertume et de dégoût pour son pays qui s'était mis à genoux devant l'ennemi, alors qu'il aurait tant aimé pouvoir en être fier !...

Lorsqu'ils firent connaissance, René et Jean partagèrent spontanément les souvenirs de leurs longues captivités respectives. Après la mort de son père, en 1986, Jacques avait donné ses petits cahiers à lire au mien. Celui-ci avait éprouvé une très grande émotion à l'évocation qui lui parut si juste et si familière, du sinistre itinéraire qui avait été le leur, bien qu'ils n'aient pas échoué dans le même camp : leurs dernières tentatives désespérées pour couper la route à l'envahisseur – René sabota son char afin qu'il ne tombe pas aux mains de l'ennemi, Jean fit sauter un pont –, leur capture, puis la déportation vers l'Allemagne, le camp de tri de Trèves, le Dulag XII D où ils s'étaient peut-être croisés avant d'être expédiés vers leurs futures prisons ; l'obsession de la faim, le froid, la promiscuité, les rituels éprouvants de leur existence concentrationnaire – l'appel, la fouille ; leurs tentatives d'évasion avortées, les brutalités et les humiliations, la collaboration à

l'intérieur du Stalag, les morts – car on mourait aussi massivement dans les camps de prisonniers de guerre (entre 1941 et 1942, 45 000 prisonniers du II B sont morts d'une épidémie de fièvre typhoïde et furent enterrés dans des fosses communes)... Mais aussi, pour le moral, toutes sortes de petites résistances quotidiennes aux cerbères préposés à leur garde, et surtout, la découverte de la solidarité entre camarades, d'une fraternité qui deviendrait par la suite avec certains –pas forcément français, au demeurant– une solide et durable amitié.

Moi, René Tardi, prisonnier de guerre au Stalag II B arrive sans doute trop tard pour que, tout comme Jean, des centaines, des milliers, voire davantage encore, parmi ceux qui connurent un sort identique à celui de l'auteur de ce témoignage, puissent à leur tour s'y plonger passionnément et se retrouver, peut-être, parmi les personnages des centaines de dessins nés de la volonté de son fils de lui donner la parole. Trop tard, oui, parce que plus de soixante-cinq ans ont passé depuis la Libération et que la plupart d'entre eux ont aujourd'hui disparu, emportant dans la mort la blessure indélébile de cette douloureuse parenthèse dans leur vie de tout jeunes adultes...

Mais pour leurs enfants et petits-enfants, l'hommage qu'a voulu rendre Tardi, par cette œuvre, à l'ancien prisonnier de guerre que fut son père, et à travers lui à tous ceux qui peuplèrent, des années durant, les quelque 120 camps de prisonniers de guerre disséminés à travers l'Allemagne et la Pologne, apportera peut-être enfin à leurs propres pères ou grands-pères qui y ont souffert, et parfois laissé leur vie, le respect et la reconnaissance qui leur ont été refusés à leur retour. Et aujourd'hui encore...

Dominique GRANGE

« En captivité, Noël 1942 », portrait de Jean Grange par Q. Daniel.

Rassemblement

Dessin de René Tardi

« *Les Russes, je les ai vus dans un état de délabrement complet. Crevés, maigres… C'était les plus mal traités, mais ils restaient dignes devant les Allemands.*

Leur calot n'a pas de pointes, il épouse bien la forme de la tête, le crâne va jusqu'au fond. Pas de veste à boutons mais une blouse qui s'enfile par la tête comme une vareuse de marin et s'arrête à mi-cuisses. Le ceinturon, qui se porte dessus, est une simple courroie de cuir tout à fait rudimentaire, rappelant plutôt une bretelle de fusil. La culotte de cheval est bien coupée, l'arrondi bien taillé. Je ne me rappelle plus si la poche s'ouvre dans la couture ou si elle est taillée en biais. Les bottes sont assez courtes, comme celles de la troupe allemande, mais c'est du bon cuir. Le manteau est très ample et descend jusqu'aux chevilles. Il n'a qu'une rangée de sept boutons. Le havresac n'est qu'un sac à patates dont les courroies sont des ficelles. La couleur de l'uniforme est indéfinissable, un mélange de deux tiers de terre et un tiers de moutarde. Les pattes d'épaule sont affreuses, sur fond rouge, des étoiles, quelque soit le grade du soldat. Elles sont trop larges, trop lourdes, et ne restent pas à l'horizontale sur l'épaule mais glissent vers l'avant… »

Mon vieux faisait dans le détail, on ne peut pas dire le contraire. Il m'en est resté quelque chose. Si vous ne compreniez pas, il pouvait accompagner sa description d'un petit dessin. Les récits de sa captivité et les chars (on ne dit pas un « tank » !) ont meublé pas mal de conversations au cours des repas familiaux. Des histoires que je visualisais vaguement en m'appuyant sur quelques photographies, des images de guerre, des films (de guerre !). En gros, tout ça était assez flou, parce que raconté dans le désordre des anecdotes ou des souvenirs avec son pote Drouot (Boy… prononcer Bois !).

Et puis un jour, je lui ai demandé de m'écrire tout ça, de coucher sur le papier, dans l'ordre chronologique, ses souvenirs du Stalag II B. Ce qu'il a fait dans les années 80. Il m'a raconté ses motivations, depuis son engagement dans l'armée, son mariage en 1937, la grande dérouillée 1940, et les cinquante-six mois passés derrière les barbelés, en Poméranie.

J'ai lu ces trois cahiers d'écolier couverts d'une écriture fine, quelquefois difficile à déchiffrer, avec des croquis explicatifs pour combler ce que les mots laissaient d'imprécis et que seul le dessin pouvait rendre évident. J'ai lu ces trois cahiers, les ai rangés dans une boîte avec des photos qui avaient un rapport avec cette époque. Je me suis dit qu'un jour j'en ferais quelque chose, que je raconterais tout ça en mettant des images sur son texte...

Le temps a passé. La maladie, l'hôpital… La mort. Quelques heures avant de disparaître, au sortir d'un anéantissement comateux, ses dernières paroles… Le voilà dans son char, au bord d'un canal. Un petit canon allemand de 37 mm s'apprête à lui tirer dessus. Il a du mal à extraire je ne sais quel projectile de la chambre de tir du canon de son char pour le remplacer par un autre obus. Il a juste le temps de détruire le canon allemand… Il y était donc toujours et encore, dans son petit char, avec son mécano pas très causant. Le fait qu'ils aient écrasé les servants du canon me glaçait d'horreur lorsqu'il racontait cet épisode… Donc, peu de temps avant de mourir, il était toujours

au bord de ce sinistre Canal de la Sambre à l'Oise, que je suis allé repérer, il y a quelques années.

Je me suis rendu compte à quel point ces moments dramatiques l'avaient marqué… À vingt-cinq ans, alors qu'on est encore un môme ! J'ai compris beaucoup plus tard, après avoir franchi cette période de l'adolescence où j'étais en conflit avec mon père, lui reprochant son passé militaire, j'ai compris, donc, à quel point ces années terribles avaient compté pour lui, dont la jeunesse avait été confisquée, volée, pourrait-on dire… 4 ans et 8 mois de captivité, le froid, la faim, la survie, et surtout l'amertume qui fera de lui à vie un homme meurtri, aigri, coléreux, honteux… Un vaincu, un perdant revenu de tout… Ce n'était pas très épanouissant, pour le gamin que j'étais alors, d'évoluer aux côtés d'un type en pétard du matin au soir. Mais il pouvait aussi

Trésorerie Stalag II B
été 1942
de g. à d. TARDI
DROUOT
MAIRE - aumônier
BAUDOIN - bottemaker
CHARDONNET - qui a été tué à côté de moi.
?
RIVALS - témoins de Toulouse
FARAIL - journaliste

se montrer tendre et plein d'humour. Épris de perfection, il s'insurgeait à tout propos contre l'amateurisme et détestait les administrations, quelles qu'elles soient. Je lui suis reconnaissant de m'avoir inculqué le goût du travail bien fait et une certaine forme d'exigence pouvant aller parfois jusqu'à l'obsession. Je l'ai vu bricoler des journées entières dans son atelier, au sous-sol de la maison, recommencer inlassablement telle ou telle pièce de mécanique pour un modèle réduit de machine à vapeur, et aller compter le nombre des bouchonnages sur le moteur d'une Bugatti Grand Sport qu'il reproduisait à petite échelle. Je suis allé lui acheter des vis et du matériel sophistiqué chez des spécialistes de ce genre d'outillage. Je suis allé, armé d'un mètre de couturière, prendre les dimensions des patins d'une chenille sur un char Renault FT exposé près d'un escalier, aux Invalides. C'était donc un type précis, rigoureux, jamais approximatif.

J'ai lu ses cahiers, je les ai mis de côté, il est mort. Que l'on comprenne bien qu'il ne s'agit pas d'un journal tenu au jour le jour au Stalag, mais de souvenirs consignés à ma demande, 40 ans plus tard.

Combien je regrette de ne pas lui avoir posé certaines questions alors qu'il en était encore temps. Des questions qui resteront sans réponse… En quoi consistaient les escroqueries de la Trésorerie ? Comment as-tu fait pour faire comprendre à Zette que tu avais besoin d'une boussole, d'une carte, de marks, et de diverses autres choses pour ton évasion ?

Les « Teutons », les « Boches », les « Fritz », les « Frisés », les « Fridolins », les « Schleus »… Eh oui, c'étaient les mots des prisonniers pour désigner leurs geôliers, qui pouvaient à tout moment devenir des tortionnaires, des assassins.

un solitaire fait cuire quelques patates

Les adeptes du politiquement correct doivent comprendre que nos pères n'étaient pas en train de vivre une histoire d'amour avec l'Allemagne et que l'heure de la réconciliation n'avait pas encore sonné.

J'ai beaucoup parlé et abruti mes proches avec le Stalag II B, Poméranie orientale.

Je remercie Dominique, ma femme, pour m'avoir aidé à préciser le cadre du récit de mon père par des recherches photographiques – il faut recommander, entre autres, les archives du site web « Stalag II B, Hammerstein-Czarne en Pologne » –, et pour avoir, en préfaçant ce livre, nourri et recoupé le récit de René, mon père, avec les souvenirs de Jean, le sien… Ils auraient pu se croiser au Dulag XII D, à Trèves… J'ai fait en sorte que ce soit le cas. C'est la seule entorse que je me sois permise à la réalité des faits.

Merci à ma fille Rachel, pour sa mise en couleurs, sombre comme la réalité de ces années de guerre. Merci à mon fils Oscar pour le temps passé à certaines recherches documentaires.

Remerciements à Hildegard et Michel Gosselin pour leur assistance linguistique depuis Nuremberg, à Didier Comès depuis Malmédy dans les Ardennes belges, à Benjamin Legrand pour une ligne de jurons totalement d'époque, au bon Docteur Sichère et à son ami, M. Claude Gillet, collectionneur d'arrache-patates et de tracteurs Lanz, également d'époque.

Et bien sûr, merci à Jean-Pierre Verney, mon poilu préféré : « Dessine plutôt un MP38, qu'il m'a dit l'autre jour, le StG44, c'est trop gros pour le Stalag ! »

TARDI

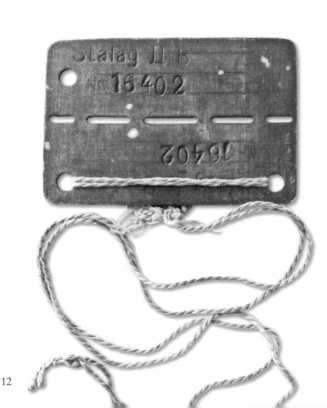

René Tardi, 1937.

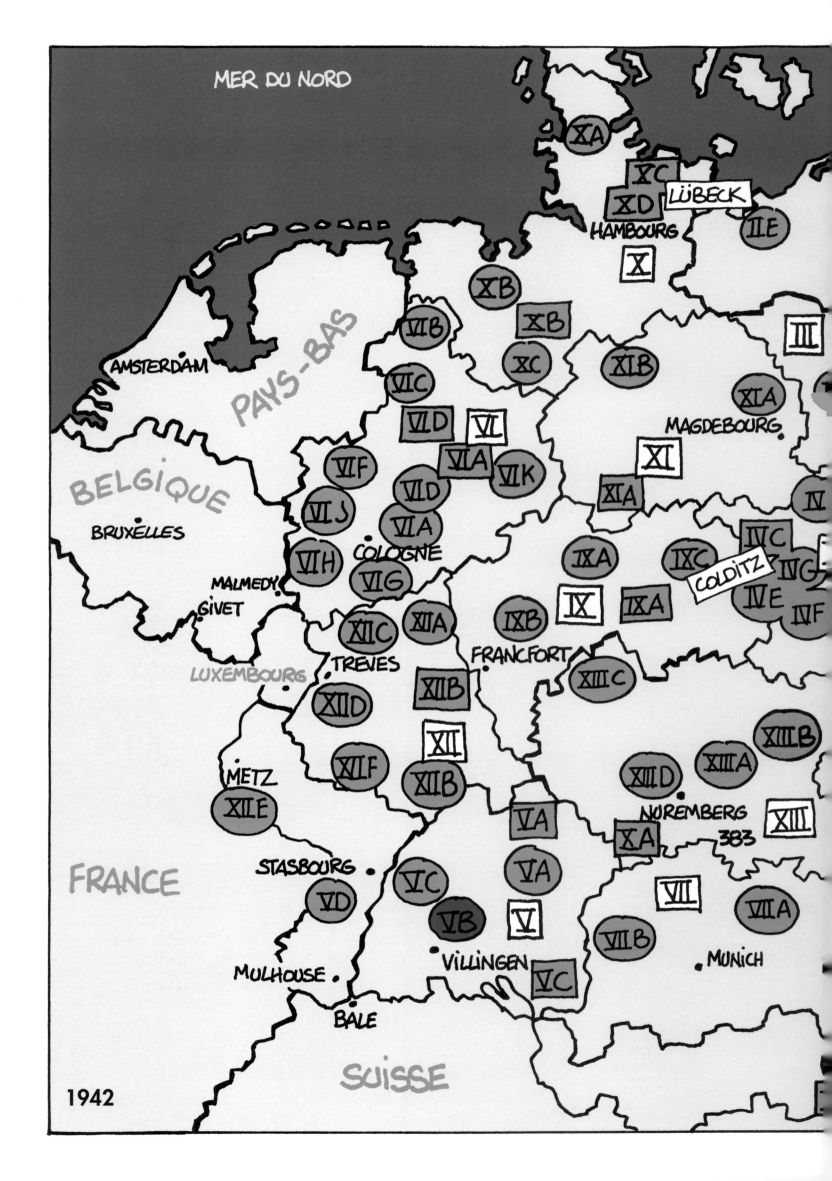

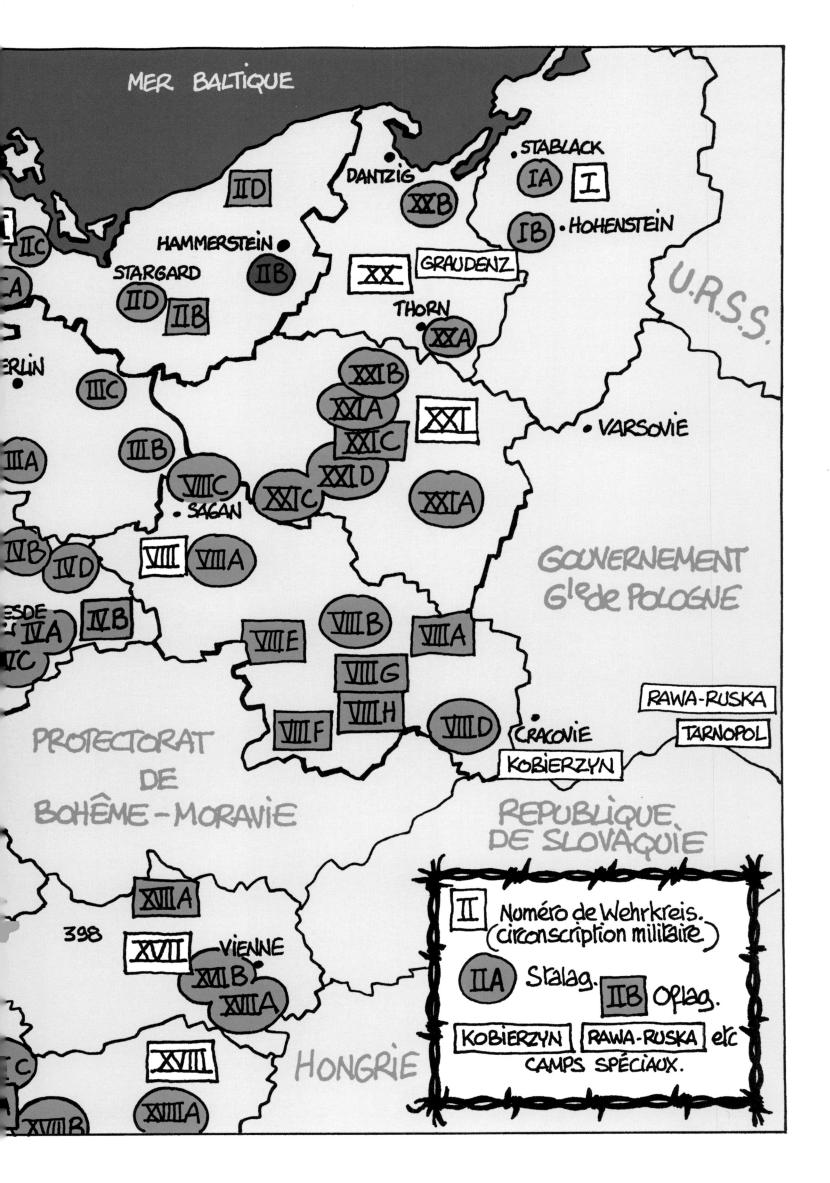

Nos chefs magnifiques nous avaient donné l'ordre de découvrir l'ennemi et de le détruire. Ça au moins, c'était du limpide, même pour les plus limités d'entre nous! C'était de l'avoine pour les bovins! C'était du militaire!

Mais alors, qu'est-ce que tu fais là ? C'est pour jouer au héros? ...pour épater la galerie? Non, quand même pas !

Laisse-moi parler!

Je t'écoute.

Alors, ferme ton clapet! Tu l'ouvriras quand tu auras fait ton service!

Mon service?

Militaire!

19

Le 30 janvier 1933, j'allais sur mes 18 ans ; c'est alors qu'Adolf HITLER, chancelier du IIIe Reich, arriva au pouvoir et que la vie commença à basculer.

Ce n'était que rencontres d'hommes d'État... Le début de démonstrations de force, et prétention à l'élargissement d'un territoire qui ne pouvait plus contenir que difficilement 70 millions d'Allemands dans un espace plus étroit que la France pour 40 millions d'individus. Ce fut le "Drang nach Osten" - la ruée vers l'Est.

Pourquoi ne pas annexer ces merdeux pays, berceaux de désordres et de conflits latents, qu'étaient : Pologne, Tchécoslovaquie, Hongrie, Roumanie et Ukraine ? La Bulgarie se faisait oublier. Quant à l'Ouest, impensable d'y prendre pied. Les Allemands n'auraient pas si facilement la Grande-Bretagne et la France. Voilà le climat au moment de l'arrivée au pouvoir d'Adolf HITLER.

L'avant-dernier de la rangée du haut, c'est moi.

Je jouais de la clarinette avec l'harmonie municipale. Je râtais aussi un peu de l'accordéon et je bricolais à la mandoline!

Ma mère était bigote et "Dame de la Poste". Mon père, qui avait été cordonnier, était devenu, va savoir pourquoi, facteur-receveur, dans ce petit patelin de la Drôme où nous vivions. J'étais fils unique. Corse, mon vieux avait mis les pieds pour la première fois sur le continent à la veille de la guerre. Il n'avait pas traîné à se marier et à avoir un gosse dès 1915... Moi! Il avait été blessé plusieurs fois et gazé ...Et renvoyé au Front. Il était revenu de la boucherie 14-18, raciturne et autoritaire. On ne s'entendait pas des masses, mais quelquefois, en fin de repas, il chantait "Le Temps des Cerises" avec la même voix que Tino Rossi, et ça me plaisait bien. J'avais un chien.

Poste-Télégraphe-Téléphone et Caisse Nationale d'Épargne, alors, forcément, mon père a voulu que je fasse carrière dans l'administration ! Au moins, "on sait chaque mois combien on gagne". Mais moi je ne voulais pas pourrir fonctionnaire à m'emmerder dans un bureau !

Tu es devenu militaire de carrière. C'est pas un peu, comme qui dirait, être une sorte de fonctionnaire ? Non ?

Tu comprendras plus tard. Pour l'instant je fais partie de l'équipe de rugby !

Le môme au premier rang, un genou au sol, avec le fanion, c'est moi. Que sont devenus tous ces copains avec lesquels je jouais au ballon ?

Le "Graf Zeppelin" descendait la vallée du Rhône pour se rendre à Buenos Aires et en revenir. Un soir, près de la gare, je l'ai vu faire du sur-place, luttant contre le Mistral. Je me demandais si le vent serait suffisamment puissant pour retenir HITLER et ses loups dans leurs noires forêts ?

Papa, tout ça, c'est de la poésie... C'est du vent.

24

Malgré les signes avant-coureurs les plus évidents, nous faisions l'autruche.
Nous avions gagné 14-18 petitement, d'un quart de poil de cul, certes, et de plus, grâce à
un sacré coup de main de nos alliés, mais nous étions convaincus d'être les plus forts.
Il y avait toujours l'Entente Cordiale avec l'Angleterre qui avait des colonies à gogo.
La France possédait, elle aussi, un empire colonial consistant, une chouette réserve de mobilisables...
Ça en faisait du monde! À l'école, on ne cessait de nous répéter que dans tous
les domaines nous étions les plus balèzes. Nous avions eu DESCARTES
BOILEAU, etc., etc., donc nous étions les plus forts et personne n'aurait
l'outrecuidance de venir nous chatouiller. Voilà ce qu'on inculquait
aux Français de l'époque. Alors on n'y revient pas!

Étant donné que chaque "sujet" de nos colonies
avait pour ancêtre un Gaulois, nous étions
assurés de son enthousiasme à venir joyeusement verser
son sang pour la France qui le faisait marcher à la trique!
Comme tu le vois, l'école de la République remplissait merveilleusement sa fonction.

Ça, c'est un char
Renault F.T.17.

F.T.? Faible
Tonnage!

Puisqu'il faudrait bien un jour ou l'autre faire son service militaire,
avec une dizaine de copains, nous nous sommes inscrits à la préparation
militaire : la P.M. J'avais 19 ans. Nous apprenions à nous en saturer
le démontage et montage du Lebel. Tir au stand, maniement
d'armes, pas cadencé, épreuves sportives, chars, canons,
mitrailleuses, apprentissage de pilotage du F.T pour
ceux qui avaient choisi la spécialité des chars,
marches de 25 km avec 25 kg de sable dans
un havresac, un fusil et une musette
de grenades quadrillées F.1 défensives.
Il fallait bien tout ça pour obtenir
le Brevet de chars! C'était quelque chose!
Je te le répète, j'avais 19 ans.

Et ça te plaisait?

J'te comprends pas!
Je t'ai toujours entendu
vomir sur l'Armée!

Tu commences à m'emmerder!
Je n'avais pas encore choisi l'Armée,
et puis je ne pouvais imaginer l'immense incompé-
-tence dont nos chefs allaient faire preuve et par là
même éblouir le monde entier! Si j'ai fait la P.M,
c'est que nous n'y couperions pas avec ce fou furieux
d'HITLER. De plus, on pouvait choisir son régiment
et pour nous c'était idéal, parce qu'avec Henriette,
nous projetions de nous marier un jour.

La mère de Zelte, Berthe, veuve de guerre et épicière, s'était remariée assez vite avec Célestin ARCHiBALD, le meilleur pote de tranchée de son mari. COLLiN, lui, était resté dans la Somme, à tout jamais refroidi dans le fond d'un entonnoir, au milieu d'un champ de betteraves bouleversé par l'artillerie allemande. Il n'avait que vingt-deux ans et jamais connu sa fille... Putain de guerre !

Mon vieux ne m'en parlait pas de sa guerre - "La Grande Guerre" - je n'aurais pas pu comprendre. Pour lui, tous ceux qui ne l'avaient pas faite ne pouvaient pas comprendre. Pour moi, c'était une boucherie d'une brutalité inouïe que j'avais du mal à imaginer. Par contre, ce que je voyais nettement c'est qu'on allait remettre ça !

Célestin, le second mari de l'épicière, était coiffeur-itinérant, pourrait-on dire, parce qu'il allait rafraîchir les culs-terreux dans leurs fermes, dans la boue, dans la bouse. Quelquefois il coupait les douilles, tard le soir, dans la cuisine de l'épicerie.
Basile apprenait le métier.

Basile ?

De ce deuxième lit était sorti Basile, le demi-frère chouchouté par le beau-père de Zelte, forcément, puisque c'était la chair de sa chair !

Il n'est pas resté longtemps avec nous, Célestin. Sitôt sorti de sa tranchée, après avoir échappé à l'ypérite et aux poux, il avait déposé définitivement sa tondeuse, bouffé jusqu'à l'os par un cancer. Il m'a coupé les cheveux une fois, c'est tout.

27

En octobre 1935, je fus incorporé à Valence, au 504ᵉ régiment de chars de combat et d'emblée, versé au peloton des élèves caporaux. Séparé des copains et de la masse des appelés, nous étions cantonnés dans un bâtiment à part et soumis à une discipline stricte. Pas de défaillance, ni de négligence dans la tenue. Sur le terrain de manœuvre, nous poussions notre apprentissage du char, des moteurs, de l'armement, du tir, la manœuvre, l'utilisation du terrain, et tout le reste...

Nous pensions être la plus puissante armée du monde, mais nous faisions nos classes sur des casseroles datant de la première guerre mondiale. Du vieux matériel pour une vieille armée de futurs jeunes vaincus ! Ça, je l'ai compris plus tard. En 35 on croyait avoir encore du temps devant nous...

La possibilité de mourir brûlé vif dans un cercueil en acier monté sur des chenilles, tu l'avais envisagée ?

Le neuvième au quatrième rang, c'est moi !

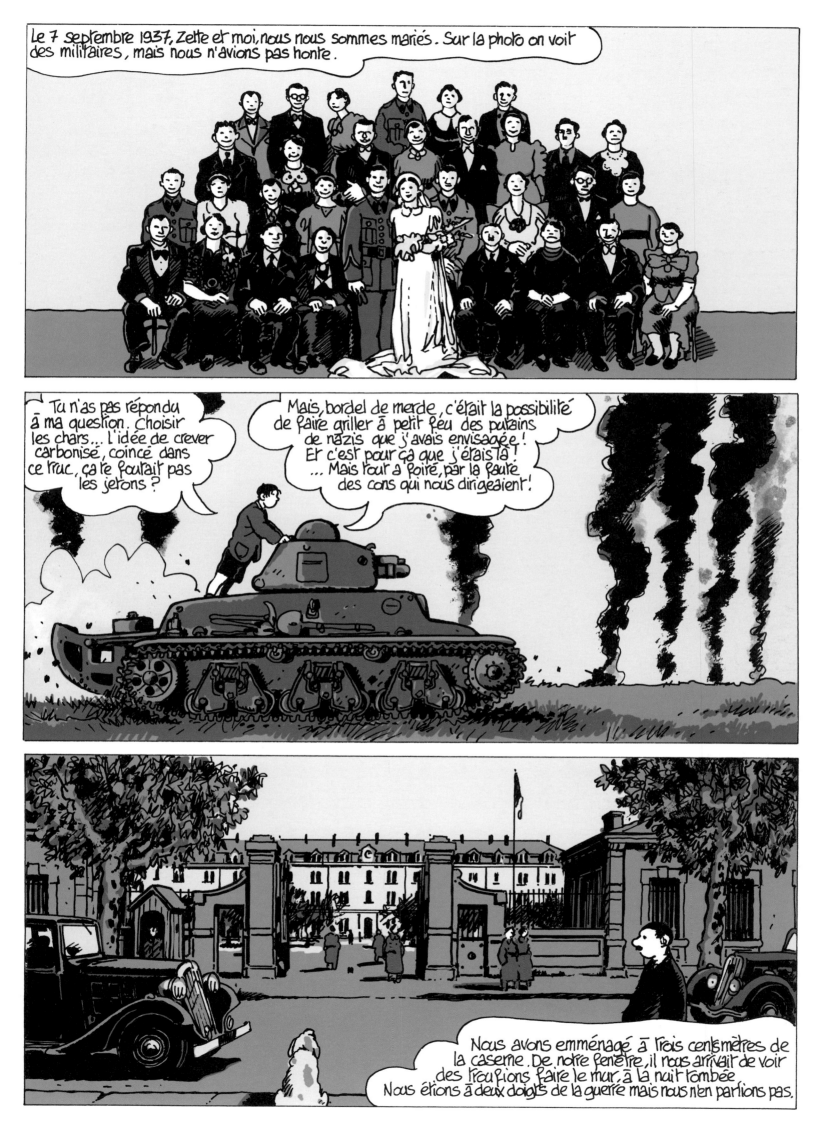

Dès leur arrivée au corps, les appelés étaient théoriquement affectés à une tâche correspondant à leur métier.

Les mécaniciens aux cuisines, et les cuisiniers à l'infirmerie!

Les diplômés, les intellectuels, les techniciens se défilaient, ils préféraient rester 2ème classe que de suivre un peloton d'élèves gradés et avoir des responsabilités, ne se sentant pas concernés par l'orage qui s'annonçait.

Ah! Quand même! Un peu de matériel boche détruit! Encore des lessiveuses qui partent en fumée!

On se disait que s'il fallait y aller un jour, on irait, tout en espérant aller nulle part. Autour de moi, je n'ai jamais constaté d'angoisse chez les civils. La France avait confiance en son armée.

Durant ces mois d'avant-guerre, je fus envoyé à Beuil, au-dessus de Nice, pour essayer des autochenilles Citroën. Maintenant, j'étais passé sergent.

C'est quand même pas avec ce matériel que tu espères gagner la guerre, papa ?

Je fus l'un des deux premiers pilotes de char à traverser le Rhône sur des portières.

Des portières ?

Des barques reliées entre elles qui supportent un chemin de roulement de grosses poutres.

Crois-moi, il y avait un vache de courant !

Comme chaque année, je fus expédié au camp du Larzac pour y instruire des réservistes. J'y croisai mon cousin Robichon.

J'allai aussi à Lunéville faire l'apprentissage de la radio à bord des chars. Ces saloperies ne marchaient jamais, les lampes se déglinguaient, un talus suffisait à arrêter les émissions. Un meilleur matériel radio nous fut livré, mais des commandes n'arrivèrent jamais ou trop tard.

En mars 1939, ce sera l'invasion brutale de ce qui reste de la Tchécoslovaquie. Le 23 août, Hitler, qui avait pourtant désigné les communistes comme des ennemis, fait alliance avec Staline.

Mais, est-ce que Staline était communiste ?

Adolf va pouvoir évoluer à sa guise, sans avoir à craindre une éventuelle intervention ruskof à l'Est. Il ne perd pas de temps : le 1er septembre 39, il envahit la Pologne. Les Soviétiques pénétreront à leur tour dans ce pays, dix-sept jours plus tard. Le 3 septembre à 17 heures, la France et l'Angleterre déclarent la guerre à l'Allemagne.

AVIS AUX RESERVISTES

REPUBLIQUE FRANÇAISE

ORDRE DE MOBILISATION GENERALE

REPUBLIQUE FRANÇAISE

ORDRE DE REQUISITION

REQUISITION DES AUTOMOBILES

Vous veniez à peine de vous marier. J'imagine que même si on s'y attend, ça doit foutre un coup de voir ce genre de trucs placardés sur les murs. Finis les projets d'avenir. La vie s'arrête. On a les jambes en coton. On essaie de se convaincre que ce n'est qu'un cauchemar, tout en sachant qu'on est bien réveillé...

La France, trop sûre d'elle, n'était pas prête. Du 3 septembre au 10 mai 1940, il ne se passe rien. Nous ne profitons bien sûr pas de ce délai de neuf mois pour nous organiser. Les Allemands ne bougent pas, nous ne bougeons pas, nous attendons. C'est la "Drôle de guerre". Et puis, à la date choisie par eux, le 10 mai, c'est l'offensive, le 13, les Fridolins rentrent chez nous comme dans un camembert bien fait, bien que, par endroits, une résistance acharnée tente de les repousser. Des soldats français se sont quand même battus et bien battus, mais rien ne peut arrêter l'élan de la Wehrmacht. Le 22 juin c'est l'Armistice, Paris occupé, Adolf au Trocadéro.

Les Anglais vont rester les seuls à continuer la guerre. Le gouvernement français, lui, va se lancer allègrement dans la collaboration avec les Allemands.

Quelle honte !

On nous fit creuser des tranchées en zigzag, dans la cour du quartier. Un jour, je fus chef de pièce d'une mitrailleuse Hotchkiss 8 mm, montée en DCA. Nous ne vîmes jamais un avion ennemi survoler la vallée du Rhône et nous prenions ce boulot plutôt à la rigolade.

Le jour J, nous avons dû déménager de la caserne et nous installer à 10 Km, pour faire place aux réservistes et aux appelés qui, une fois équipés en matériel, dégageaient et laissaient la place à d'autres.

Quinze jours plus tard, un beau dimanche après-midi, nous embarquâmes à la gare de marchandises. Les bons bourgeois valentinois nous regardaient passer sans aucune émotion apparente. Ils souriaient, ces braves gens qui, dans moins d'un an, allaient faire du marché noir et devenir des B.O.F. opulents.

CAFÉ DE L...

Des B.O.F. ?

Beurre, Oeufs, Fromages... Marché noir, magouilles et gros profits. Crois-moi, ces salopards vont s'en mettre plein les fouilles !

Il y avait du monde à la gare d'embarquement. Henriette était là et je restai avec elle le plus tard possible, à l'écart des autres.

39

Le train partit dans la nuit avec ses 50 chars et le matériel d'accompagnement.

La "Siegfried Linie" se renforçait vingt-quatre heures sur vingt-quatre à cadence accélérée, tandis que la "Ligne Maginot" prenait du retard. On respectait les horaires de travail, et le dimanche, les bidasses prenaient des bains de soleil sur les glacis, pendant que des dames de charité plantaient des rosiers pour égayer le vilain béton armé, lui aussi.

Le convoi qui était lourd et lent, de temps à autre se garait pour laisser passer les trains plus rapides. Aux environs de Lyon, je fus terrassé par une chiasse à décorner les boeufs.

Nous changeâmes trois ou quatre fois de secteur, pour finalement passer l'hiver dans les environs de Sarreguemines, sur la frontière franco-allemande. Quelques escarmouches. Nous étions dans un grand fossé, le canon à hauteur de défilement.

Heureusement mieux lotis que les fantassins, nous pouvions tendre un câble de remorquage en acier entre deux arbres et avec les bâches des chars, nous confectionner une tente complètement fermée. Il pleuvait sans cesse. Seuls les guetteurs restaient sur les tourelles.

Un de nos chars tomba en rade dans un bois. Impossible de le remorquer. On décida de creuser une fosse sous le blindé pour accéder à la pièce du moteur à l'origine de la panne. La terre détrempée s'effondra sur le mécano qui fut enseveli vivant dans la boue sous les 12 tonnes de son Hotchkiss. Ce mécano fut le premier mort du régiment.

Nous allâmes nous installer (la section de 3 chars et ses équipages) dans la ferme de Schneckenbrühl. Noël y fut fêté. Certains superstitieux allèrent même à la messe. Et on nous fit redescendre à Remoncourt, au plus fort de l'hiver. Les chars étaient dans des granges, bien protégés par des matelas récupérés chez les Allemands dans la Sarre. Chaque nuit, on laissait tourner les moteurs pour qu'ils ne gèlent pas. Il faisait environ -25° !

À l'arrêt, les chars qui étaient dehors devaient se poser sur des fagots ou des planches car la terre remuée par les chenilles gelait immédiatement et bloquait l'engin au sol. On dégelait avec de l'essence que l'on enflamait. Nous logions chez l'habitant. Avec mon ami CANONGE, nous partagions le même édredon volumineux.

La vraie vie de château, quoi !

Le 1er mars 40, je fus nommé sergent-chef et muté à un autre bataillon qui stationnait en Champagne, à 60-70 km de Reims. Quelques jours après mon arrivée, on m'envoya au Fort d'Issy-les-Moulineaux, pour équiper des chars avec de nouvelles radios, plus efficaces. J'eus la permission de loger hors du Fort, chez ma tante Laurence, et Henriette vint m'y retrouver.

La sœur de ma mère était "montée à Paris" pour y faire l'actrice au théâtre. Elle avait épousé un comédien - Désiré DESROSES - c'était son nom d'acteur. Ils habitaient Bᵈ Barbés, en face des Galeries. Un jour, l'oncle Désiré t'emmènera à la pêche... mais c'est pour plus tard. En mai 40, ils portaient encore le deuil de leur fils Jacques, mort de maladie, juste avant la guerre, et dont tu portes le prénom en souvenir.

Merci, c'est gentil.

Le 10 mai, ce fut l'attaque de la Hollande, de la Belgique et du Luxembourg. Les Allemands pénétreront en France trois jours plus tard. Je dus rejoindre mon bataillon en Champagne. Nouvel embarquement sur voie ferrée, pour arriver au bout de deux jours sur la frontière franco-belge.

Le mécanicien et le chauffeur de la loco mirent les bouts. On ne les revit pas. La gare n'étant pas munie de matériel de débarquement pour quai en bout, nous avons viré les chars du haut des wagons sur le ballast. Résultat, les wagons sortirent des rails et bloquèrent toute la rame. Il aurait fallu les remettre sur rails avec une grue. Le personnel de la gare fut engueulé copieusement pour négligence et même molesté.

44

En plein débarquement, nous fûmes généreusement bombardés.

Couchés sous le ventre du char, nous étions assez bien à l'abri. Mais où étaient donc passés les magnifiques héritiers de GUYNEMER ? Pas un seul chasseur français dans le ciel ! L'héroïsme légendaire de leur glorieux aîné pesait-il trop lourd sur leurs ailes, au point de les empêcher de prendre l'air ? Il y eut quelques morts, dont le commandant du bataillon, et deux ou trois blessés. Mais plus un civil n'était resté dans le secteur.

Quant à la D.C.A., "l'inefficacité avant tout," telle était sa devise !

La nuit, à tour de rôle avec mon mécano, on surveillait, écoutant le moindre bruit. Au petit matin, chacun son tour, on tentait une toilette sommaire, pendant que l'autre guettait dans la tourelle. Jusqu'au 22 mai, je n'ai pas dormi une seule fois tranquillement ni plus de deux heures de suite. Nous recevions sans cesse des ordres radio de se porter ici ou là, où se trouvait un groupe ennemi. Arrivés sur place, plus rien. Et on repartait.

Il faut que tu comprennes qu'on ne tient pas plus d'une heure entière dans un char tout fermé, moteur tournant et par des journées chaudes. Ça empeste l'huile bouillante, l'échappement, l'oxyde de carbone, et les gaz de canon qui s'accumulent empoisonnent le pilote assis plus bas. Il faut ouvrir les aérateurs avec prudence. Lorsque le secteur est calme le chef de char peut rouler assis sur la porte de tourelle qui fait siège et tourne à 360°.

C'est rudement bien étudié !

Mais il était plus prudent de rester à l'intérieur, vois-tu ?

À un moment, il a bien fallu se ravitailler en essence. Je finis par trouver un dépôt de division, qui, désireux de porter son activité plus bas en latitude, ravitaillait tout le monde, y compris les civils, et nous aurait tout donné. Le bordel avait commencé !

47

Je suis certain que le Commandement ne savait même pas où se trouvaient ses chars. Nous n'avons jamais perçu de bouffe de notre bataillon. Nous avons vécu avec ce qu'on a trouvé dans les maisons pillées par les civils et les soldats passés avant nous. Les unités militaires, heureuses et réconfortées d'avoir un char près d'elles, ont contribué à nous faire vivre, mais ça n'allait pas bien loin.

Dans les files de biffins que nous avons rencontrées, les soldats avaient deux bidons: l'un de vin, l'autre de gnôle. Parfois, les chefs contrôlaient mal leurs hommes qui, dans certains secteurs, se rendaient bien compte que ça allait mal et qu'on se ferait piéger un de ces quatre, sûr et certain, vu la tournure du merdier.

Les civils terrorisés qui fuyaient les zones de combats, en descendant vers le sud, étaient de plus en plus nombreux.

48

En traversant un pont à toute vitesse dans un coin malsain, nous avons reçu un chargeur de cinq coups, tiré d'un canon antichar.

PAPA!

MERDE!

Plus loin, constat des dégâts: presque rien, à part le silencieux percé et des coulures peu profondes dans l'acier de la caisse, à l'arrière. Nous sommes repartis très vite et dans la ville de Nouvion en Thiérache, nous avons subi un bombardement en piqué très peu précis.

Deux jeunes filles se mirent à l'abri sous mon char. Le bombardement dura assez longtemps. L'une fut blessée, l'autre tuée par des éclats de bombes.

Quant à nous, nous avons attendu longtemps que le calme revienne, pour réparer une de nos chenilles coupée sous le déluge de pierres et de ferraille. Le char Hotchkiss 39 était bien blindé, bien armé et assez rapide. Nous n'avons jamais déraillé sérieusement, sauf plus tard, dans la tourelle.

Nous sommes repartis, toujours à contre-courant des civils et aussi des militaires qui se carapataient vers le sud. C'était l'exode ! De temps à autre, dans la file, un type portait sur son dos une couverture orange. Un frileux du mois de mai ? À quoi est-ce que ça pouvait bien servir ? On a parlé de 5ᵉ colonne... Je n'ai jamais su si c'était du pipeau ou quoi ?

5ᵉ colonne ?

Regarde dans le dico !

Cinquième colonne : nom donné aux partisans clandestins sur lesquels chaque adversaire peut compter dans les rangs de l'autre.

On ne pouvait pas avancer sans avoir peur d'écraser quelqu'un ou de faire chavirer un véhicule. Lorsqu'il n'y avait pas d'arbres, on roulait la chenille droite dans le fossé.

Ces fumiers ne faisaient pas dans le détail. Ils arrosaient aussi bien les civils que les militaires. Ils avaient installé sur leurs Stukas des putains de sirènes dont le hurlement strident vous restait longtemps dans les oreilles et vous glaçait le bas du dos. On ne s'y habituait pas.

Nous avons été emmerdés dans notre progression par les pensionnaires d'un établissement psychiatrique qui s'égayaient sur la route, nous gênant totalement. Ils nous acclamaient et tentaient de monter sur le char qui roulait. Les religieuses qui les encadraient eurent énormément de mal à les récupérer.

Et puis, le soir même, nous nous sommes arrêtés à la sortie de Guise, dans une grande ferme. Nous avons planqué le char derrière des bottes de paille. Nous guettions, l'un après l'autre. On a essayé de se laver et de trouver à manger. Il y avait des soldats dans cette ferme et ils ne voulaient pas qu'on parte.

De cet endroit, nous entendions le grondement continu de véhicules qui roulaient dans le lointain, mais ce n'étaient pas des chars, ils ne font pas le même bruit. Très loin, on entendait des tirs d'armes automatiques. Il fallait rechercher le contact. Rien par radio. De char à char, elle portait à 3 km maximum. Je n'étais pas sur la fréquence de mon capitaine qui portait plus loin. Donc, les copains les plus proches étaient à plus de 3km. Sans graphie, ni phonie, rien à faire.

Toujours obsédés par la recherche du contact avec l'ennemi, afin de le détruire vite fait et sans problème aucun, et plus ou moins bien renseignés par ceux qui nous entouraient, nous prîmes nos cliques et nos claques pour longer la bordure d'un bois. Des Panzers avaient été vus dans le coin.

Soudain, un point luisant attira mon attention. L'éclat du soleil sur un verre de lunette? Je ne sais. Je pivotai ma tourelle pour observer.

Nous n'aurions bientôt plus une goutte de carburant. Nous nous sommes planqués dans un petit bois et avons viré à l'extérieur les obus et les chargeurs de mitrailleuse encore bons. J'ai détruit le canon, la mitrailleuse, les périscopes, la radio et le tableau de bord.

J'ai essayé de crever le réservoir d'essence, mais n'étant pas certain d'avoir fait un trou, car les réservoirs étaient auto-obturants, (si percés, l'essence dissolvait un produit censé boucher le trou). le mécano dévissa la purge, ouvrit le bouchon de remplissage, dévissa l'alimentation, et le restant d'essence s'écoula.

Un chiffon imbibé d'essence et enflammé balancé dans la tourelle, et voilà le travail! Ce char-là, au moins, serait irrécupérable. Nous n'avions pas de mines pour le piéger. Ç'aurait été mieux.

Je crois que j'avais oublié de briser la lunette de visée de tir du canon. Je me consolais en pensant qu'elle avait dû se gondoler avec la chaleur de l'incendie. Et puis nous avons eu une peur rétrospective, de celles qui vous écrasent la poitrine et font battre le cœur. Je ne comprenais pas pourquoi j'avais été atteint par un seul obus, alors que j'étais dans la position idéale pour être totalement détruit.

Je crois avoir tremblé longtemps. Mon mécano aussi avait les flubes mais voulait le cacher. Et commença l'obsession de ne pas se faire piéger. Il fallait sortir de là ! Nous nous enfonçâmes dans le sous-bois sobrement équipés.

Nous n'avons pas mis longtemps à rencontrer des soldats changeant de secteur ou foutant le camp vers le sud. La nuit venue, nous nous sommes séparés, et par groupes de sept ou huit types, de sauts en reptations dans les fossés, nous cachant le jour et progressant la nuit, nous avons réussi à éviter les Boches.
Mais combien de temps tout ça allait-il durer ?

Nous avons fini par tomber sur un adjudant-chef des chars qui m'a dit : "Tu as saboté ton char, eh bien, viens avec moi, j'en ai un à la disposition et tu m'arranges."
C'était un R39 abandonné dans une grange par son glorieux équipage, et hâtivement planqué derrière des fagots.

Ce genre de proposition ne se refusait pas ! Le char était pratiquement neuf. Le plein était fait en essence et en munitions, de plus il était armé d'un canon long. C'était un bon engin taillé en rase-mottes, un peu comme mon H39 précédent. Peu de place à l'intérieur mais très bon canon. J'en jouissais d'aise. Nous avons pu manger un peu mais pas dormir. Après avoir essayé le char, nous sommes partis à l'aveuglette.

Revolver d'artillerie au poing ce connard-là me dit : Ah ! Un tank ! On n'en voit pas beaucoup ! Je vous réquisitionne !

J'eus beau lui dire que j'étais en mission, qu'il n'était pas mon patron, que n'importe qui pouvait faire comme lui, et qu'on ne disait pas un tank, je fus obligé d'obtempérer.

Je n'avais plus reçu d'ordres depuis notre arrivée à la gare. Et puis ce ROQUEVERT-là me plaisait. Il en voulait. Je compris qu'un char ça donne confiance à des types qui évoluent à pied et sans cuirasse.

Le capitaine me fit profiter de son bidon plein de gnôle – du genièvre, je me rappelle – et ses sous-officiers aussi, et il me confia une mission de surveillance à un passage obligatoire.

Les biffins enterrèrent le char à moitié, à dix mètres de la route. Les gardes et les guetteurs se succédaient. Les tirs allemands d'artillerie nous obligeaient à nous terrer, mais il ne se passa rien.

CANAL DE LA SAMBRE A L'OISE

Je ne sais combien de temps je restai avec ce capitaine. Je reçus l'ordre, pour soutenir notre infanterie, de me rendre sur un canal situé dans les environs, et que les Allemands se préparaient à franchir. Nous quittâmes les fantassins sous une pluie d'obus.

Nous avons longé le canal sur une route sans circulation aucune.
Soudain, le pilote ralentit le char et me dit:"Il y a quelque chose sur le bord!"

Je retirai la cartouche d'obus perforant qui se trouvait dans la chambre de tir,
et la remplaçai par un explosif. Je tirai à la vitesse maximum quatre à cinq obus,
et criai au mécano:
Vas-y, fonce!

Effectivement, il y avait eu, dans le fossé, un canon allemand de 37 mm, à en juger par la grosseur de ce qui restait du tube. Lancés à fond, nous avons tout écrasé - le canon et les cadavres des servants. Dans cette histoire, j'avais été le plus rapide. Ils n'avaient pas eu le temps de riposter.

Mes obus n'étaient pas tombés loin, mais les servants n'étaient pas tous morts. L'un d'entre eux bougeait encore.

Nous nous sommes arrêtés. Depuis mon siège de tourelle, j'ai regardé derrière le char cette bouillie de corps, ce magma sanguinolent, écoeuré à en dégueuler.

Papa, c'est horrible ce que vous avez fait!

Je sais petit, c'est moche. Mais si je te disais : C'est ça la guerre, et c'est pas beau à voir, tu me prendrais pour un vieux con!

"C'était eux ou nous", selon la magnifique formule consacrée. "On n'avait pas le choix"... "À la guerre comme à la guerre"... Et puis merde !... Ces types ne nous attendaient pas au coin du bois pour nous offrir des rafraîchissements !

J'ai mis longtemps à recouvrer mon calme. J'ai attendu que mon mécanicien redémarre de lui-même. Il avait des états d'âme, lui aussi. On n'en a jamais parlé entre nous.

Ces Boches avec leur canon devaient être en avant-garde, car de la troupe
s'agitait dans les environs. Alors nous avons quitté la route qui longeait
le canal pour nous planquer le reste de la journée dans un petit bois
où nous avons passé la nuit.

J'y ai souvent pensé à la destruction de cette batterie antichars.
Ça m'a laissé un goût amer. Si la guerre avait été plus longue pour moi,
je serais certainement devenu moins sentimental. J'ai tiré, nous avons foncé
dans le tas. Nous aurions percuté du béton ! Je n'avais pas eu peur un traître instant.
Il faut dire que les biffins que nous protégions nous avaient pas mal fait
boire de leur genièvre. Tu vois, je ne parle pas de courage.

c'était donc
seulement
la gnôle ?

Au petit matin, nous rôdions dans les parages.
Il y avait des Allemands partout.

Quelques coups impératifs de crosse de Mauser frappés à la tourelle et il fallut se montrer. Je ne sortis pas de moi-même, mais je fus arraché de la tourelle ainsi que mon mécano de son poste de pilotage.

Je n'eus que le temps de sauver ma musette et, désespoir, ma gamelle n'était pas dedans ! J'oubliai ma couverture, mais pus sauver ma toile de tente. Écrasé, abattu, fatigué par de nombreuses nuits sans sommeil, je donnai mon pistolet et mon ceinturon à un sous-officier hargneux qui me bouscula tant et plus.

Je t'emmerde !

Nous nous étions battus, mon mécano et moi. Nous avions reçu l'ordre de détruire l'ennemi. Nous avions obéi... Oui, nous nous étions battus, et ce 22 mai 1940, un mercredi, douze jours après l'offensive, au petit matin, à l'orée d'un bois, nous venions d'être faits aux pattes. C'était à Mons-en-Chaussée, près de Péronne, dans la Somme. Mon père avait été blessé dans ce coin, vingt-cinq ans plus tôt. Moi, j'avais vingt-cinq ans et je venais de recevoir comme un coup de massue derrière la tête.

Papa, qu'est-ce que tu as au visage ?

Comment était-ce possible ? La meilleure armée du monde !... Avec, à sa tête, les chefs les plus intelligents qui soient...L'armée française, l'armée du pays des superlatifs, du pays du bon goût, où tout est mieux et meilleur qu'ailleurs ! Que s'était-il passé ? Comment ces sinistres bouffeurs de choucroute mal dégrossis avaient-ils pu nous infliger une telle déculottée ?... à nous ?!

C'est te dire à quel point nous nous pensions supérieurs et invincibles.

La première armée du monde avait cessé d'exister.

Nous avons suivi un chemin vers le nord-est. Nous n'étions même pas gardés. Où serions-nous allés ? Nous étions écrasés, pas encore tout à fait conscients de ce qui venait de nous tomber sur la gueule... Vaincus, nous étions vaincus !

Quelle honte !

Honte à nos chefs, tu veux dire ! Ces lamentables imbéciles, totalement dépassés par les évènements, et dont la médiocrité illumine encore le monde aujourd'hui, nous avaient abandonnés. Honte à eux !

J'ai vu des officiers prisonniers continuer de crâner à l'écart de leurs hommes, arborant des cannes d'éclopés, façon héros de la Grande Guerre. Peut-être ces connards pensaient-ils qu'ils venaient de remporter une victoire décisive ? C'était pas impossible.

Quelle honte !

Rassemblement à proximité d'une Mairie. Des types complètement abattus arrivaient de tous les côtés. Dans l'après-midi, nous avons été parqués dans une immense prairie. Nous étions des milliers, gardés par de nombreuses sentinelles. J'ai perdu mon mécano qui était sans doute heureux d'avoir retrouvé un pote. Je ne l'ai plus jamais revu.

Par contre, je suis tombé sur un sergent-chef dépanneur que je connaissais et qui ne m'a donné aucune explication valable sur notre séparation depuis le débarquement du train. Organisation de merde, commandement en dessous de tout ! La France, ce pays, "mon pays" parce que j'y suis né par le plus grand des hasards... me dégoûte ! Quand j'entends la Marseillaise, j'ai envie de vomir !

OH!

Je me suis battu ! J'ai obéi aux ordres... et puis, je n'ai plus reçu d'ordres ni de ravitaillement ! On s'est bien foutu de ma gueule ! Terminé pour moi, les chars de combat !

Tant mieux, parce que je commençais à en avoir assez de dessiner des tanks !

Une grande route, route droite, nous achemina jusqu'à Saint-Quentin, où j'ai passé ma première nuit de captivité. J'étais crevé, j'ai dormi à même le sol.
Mon vieux s'était battu pendant quatre ans dans la région, et nous, nous n'avions pas tenu quinze jours ! C'était dur à avaler. J'étais en colère !

Je t'ai toujours connu en colère.

La deuxième nuit, il pleuvait des cordes, mais j'ai quand même ronflé sur un tas de briques rouges. Par la suite, nous avons roupillé dans des prés, c'était la fin mai, il ne faisait pas trop froid et avec des toiles de tentes et des couvertures, nous parvenions à nous maintenir au sec.

Je dois te dire que pendant ces journées de merde, je n'ai jamais cessé de penser à mes parents et à Henriette. Je me rendais compte que je l'aimais plus que jamais. Je ne me doutais pas que je venais d'en prendre pour cinq ans, plus la guerre, tout ça à cause de la connerie des gens au pouvoir !

De marche en marche, par Givet, nous sommes passés en Belgique, la queue entre les jambes.

Une seule étape jusqu'à Beauraing, où nous sommes restés trois ou quatre jours dans l'attente d'un train qui finalement nous embarqua, vingt kilomètres plus loin, à Rochefort.

Sur le trajet, des Belges avaient disposé au bord de la route des lessiveuses pleines d'eau pour qu'on puisse faire le plein de flotte. C'était gentil. Des femmes criaient: "Seulement pour les soldats belges !" C'était pas gentil. Elles pensaient peut-être qu'on allait les écouter.

Ces arrêts pour remplir nos bidons foutaient le bordel dans la colonne, alors les Boches résolurent rapidement le problème, avec efficacité et délicatesse.

La Belgique étant neutre, jamais Hitler n'envahirait son territoire, que d'ailleurs, elle était tout à fait capable de défendre toute seule, comme une grande, disait le Roi. La ligne Maginot s'interrompait donc à la frontière belge, puisque nous n'avions rien à craindre de ce côté-là... Alors les Allemands sont passés par la Belgique. Une fois l'impénétrable forêt des Ardennes traversée en quelques heures, et la Meuse franchie, la Wehrmacht déboulait chez nous à Sedan.

70

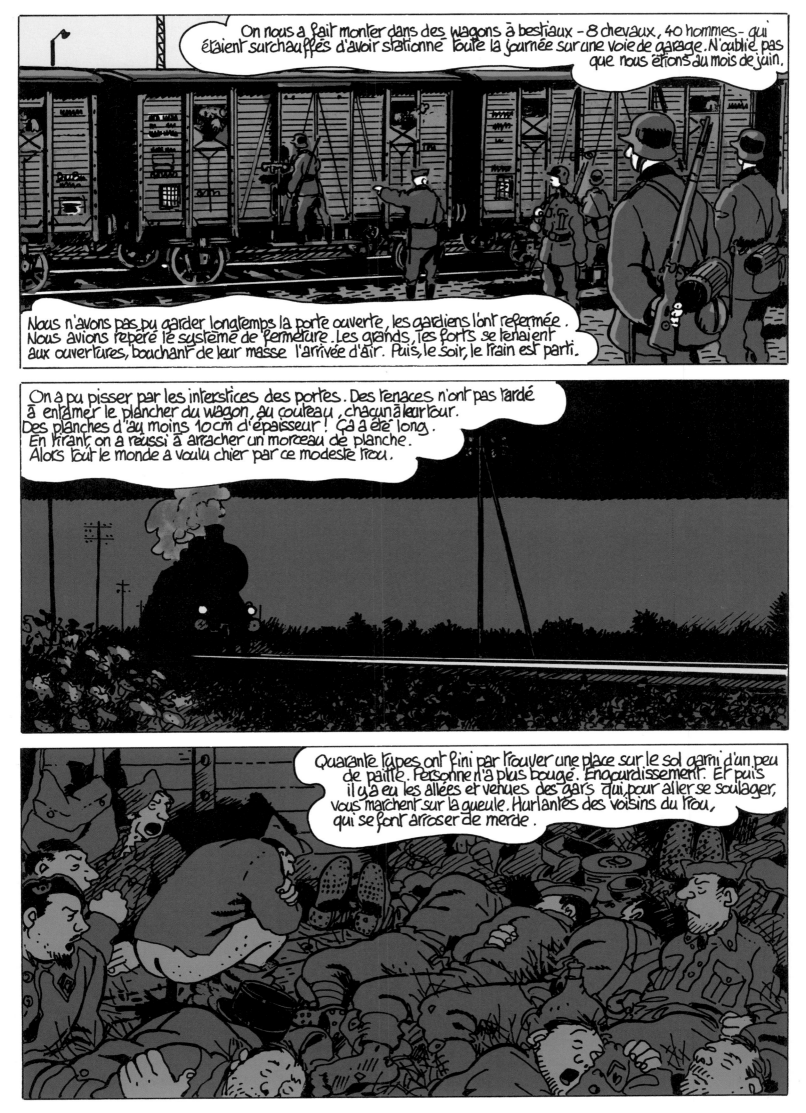

On nous a fait monter dans des wagons à bestiaux - 8 chevaux, 40 hommes - qui étaient surchauffés d'avoir stationné toute la journée sur une voie de garage. N'oublie pas que nous étions du mois de juin.

Nous n'avons pas pu garder longtemps la porte ouverte, les gardiens l'ont refermée. Nous avions repéré le système de fermeture. Les grands, les forts se tenaient aux ouvertures, bouchant de leur masse l'arrivée d'air. Puis, le soir, le train est parti.

On a pu pisser par les interstices des portes. Des tenaces n'ont pas tardé à entamer le plancher du wagon, au couteau, chacun à leur tour. Des planches d'au moins 10 cm d'épaisseur ! Ça a été long. En tirant, on a réussi à arracher un morceau de planche. Alors tout le monde a voulu chier par ce modeste trou.

Quarante types ont fini par trouver une place sur le sol garni d'un peu de paille. Personne n'a plus bougé. Engourdissement. Et puis il y a eu les allées et venues des gars qui, pour aller se soulager, vous marchent sur la gueule. Hurlantes des voisins du trou, qui se font arroser de merde.

Comme tu ne peux pas tuer le type qui a la chiasse, tu maudis le wagon, les copains, la France, les politicards, les 'Boches, le monde entier. Tu voudrais que la terre éclate et qu'il n'en reste rien. Tu maudis ceux qui dorment dans leur lit, loin des odeurs de merde. Tu n'arrives pas à fermer l'œil, alors tu ne peux pas éviter de penser à ta condition de vaincu tout récent, à ton esclavage qui ne fait que commencer et au fait que, sans boire et sans manger, tu vas devoir côtoyer les connards qui encombrent ce wagon et que tu n'aurais jamais voulu rencontrer.

Ça coince.

Je les détestais tous. J'en avais marre de leurs jérémiades. Entendre à longueur de journée une bonne partie de ces dégonflés dire qu'ils n'avaient pas demandé à faire la guerre, eux, alors que moi, je m'étais engagé, c'était à dégueuler. Ils auraient été heureux que j'en bave plus que les autres, mais je ne leur laissais pas entrevoir mon désespoir, ils auraient été trop contents. Moi non plus, je n'avais pas voulu la guerre...

Certains d'entre eux, assez hautains, qui se vantaient d'avoir été aux Écoles, étaient convaincus qu'après la guerre, ils seraient appelés à jouer un rôle essentiel pour relever le niveau moral de la nation, étant donné l'état de décomposition morale dans lequel elle se trouvait à ce jour, la nation. Mais, selon eux, cet ambitieux programme ne pourrait être accompli sans l'Allemagne, qui donnait aujourd'hui l'exemple de ce qu'il fallait faire. Ces imbéciles se voyaient déjà dans des ministères. Nul doute que ces salopards, d'une lâcheté exemplaire, n'auraient aucun scrupule, s'ils arrivaient à leurs fins, à envoyer au casse-pipe des jeunes types, pour relever le niveau moral de la nation. Pour l'instant, ils pissaient dans leur froc.

Bien sûr, il y avait aussi de braves types, pas fiers et rigolos, qui focalisaient toute leur énergie à chercher des combines pour glisser entre les doigts des Fridolins.

Dans les Ardennes belges, le convoi s'est arrêté en rase campagne. Nous avons eu droit à une soupe extrêmement claire. On a pu se soulager sur le talus. Nous sommes remontés dans notre wagon, et le train est reparti.

Et puis, au petit jour, alors qu'on venait à peine de trouver sa place pour dormir quelques heures, la tête reposant sur les godillots d'un copain, on a entendu rouler la porte du wagon. Petit matin gris du condamné, quand on a la tronche en bois et la chiasse au ventre. Nos gardes-chiourmes nous ont sortis à coups de crosses de Mauser dans les reins. Ce traitement redoutable était assez efficace pour le réveil.

Descente rapide et massive sur le ballast. Records de sauts pour éviter les coups de gummis qui résonnaient sur les dos et les coups de bottes n'importe où sur le corps. Le tout accompagné de hurlements. Vacherie de merde !

73

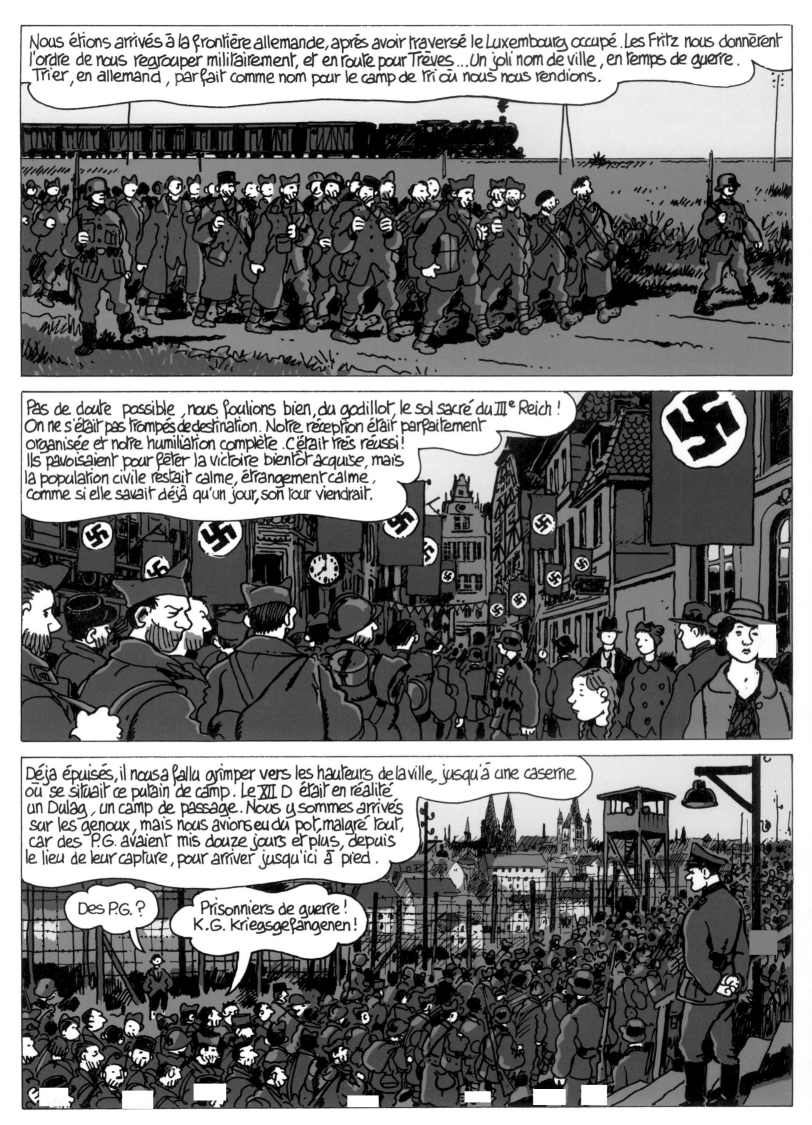

Nous étions arrivés à la frontière allemande, après avoir traversé le Luxembourg occupé. Les Fritz nous donnèrent l'ordre de nous regrouper militairement, et en route pour Trèves... Un joli nom de ville, en temps de guerre. Trier, en allemand, parfait comme nom pour le camp de tri où nous nous rendions.

Pas de doute possible, nous foulions bien, du godillot, le sol sacré du IIIe Reich ! On ne s'était pas trompés de destination. Notre réception était parfaitement organisée et notre humiliation complète. C'était très réussi ! Ils pavoisaient pour fêter la victoire bientôt acquise, mais la population civile restait calme, étrangement calme, comme si elle savait déjà qu'un jour, son tour viendrait.

Déjà épuisés, il nous a fallu grimper vers les hauteurs de la ville, jusqu'à une caserne où se situait ce putain de camp. Le XII D était en réalité un Dulag, un camp de passage. Nous y sommes arrivés sur les genoux, mais nous avions eu du pot, malgré tout, car des P.G. avaient mis douze jours et plus, depuis le lieu de leur capture, pour arriver jusqu'ici à pied.

Des P.G. ?

Prisonniers de guerre ! K.G. Kriegsgefangenen !

C'est par une magnifique journée de juin que nous avons franchi la porte de ce camp de merde...un dimanche.

Les P.G. faisaient spectacle. Inutile de dire que je n'y suis pas allé... On a pu se laver, acheter des cigarettes à la cantine, manger une soupe, boire de la bière tiède et dormir sur une planche dans une baraque.

FRANZOSEN ZALES FACHES !

HALT

Je me souviens qu'une matrone s'est approchée des barbelés et nous a craché à la gueule.

Sans tarder, les premiers "bouteillons" ont commencé à faire le tour du camp : " C'est réglé comme du papier à musique ! ... Dans trois jours ils nous libèrent. Y peuvent pas nous garder, on est trop nombreux. "

Un bouteillon ?

Une fausse nouvelle, un bruit de marmite cognant contre une gamelle. Le bouteillon, c'est la marmite de l'escouade dans la biffe.

l'escouade ? la biffe ?

Il allait devoir bosser à l'extérieur du Stalag, dans un hosto militaire, avant d'être renvoyé chez lui, en 1943, à Lyon où l'attendait sa femme et ses deux petites filles. Je ne pouvais pas savoir qu'on se retrouverait quarante ans plus tard sur les marches du perron de la Mairie du IXème arrondissement à Paris, au mois de juin, le dix-huit !

?

?

Un mariage civil, seulement !

Au moment où nous en sommes de cette histoire, je ne peux pas encore savoir que j'épouserai l'une des filles du toubib du Génie, à la Mairie du IXème, en juin 1983. Dominique n'a que quatre mois et je ne suis pas encore né !

Les officiers furent séparés de la troupe et embarquèrent pour les Oflags. Nous n'en revîmes plus, excepté les médecins et les dentistes qui étaient une extrême minorité à l'intérieur des camps. Je me demande encore comment cette armée de merde a pu fonctionner avec la ségrégation qui existait entre officiers et troupe. Une armée essentiellement aristocratique. Les chefs n'ont pas fait de gros efforts pour se mêler aux soldats. Strictes paroles avec les subalternes.

Mais, papa, elle n'a pas fonctionné, cette armée.

Après trois ou quatre jours passés à Trèves, nous quittions le camp pour descendre à la gare.

LOS. LOS!

Nous embarquâmes dans les mêmes conditions que la première fois.
Les Fritz, qui nous avaient si gentiment accueillis, ne nous avaient même pas proposé un verre de vin de Moselle !

Dès que le train se mit à rouler, nous avons commencé à creuser le trou-chiottes. Cette fois, nous nous étions munis d'instruments pour faire sauter le crochet de fermeture de la porte à glissière, qui n'avait pas été goupillé. Nous avons réussi après plusieurs heures d'effort.

Il fallut attendre des courbes de la voie ferrée dans le bon sens, et aussi des ralentissements du train, pour ouvrir et sauter sur le ballast. Mais ces conditions n'étaient que très rarement réunies. Quelques uns sautèrent. Tout le wagon ne put faire la belle.

Alors que j'attendais mon tour, le train ralentit, freina et s'arrêta. Nos gardiens avaient vu la manœuvre. La porte fermée, le crochet cette fois goupillé dans sa gâche, les Chleus désignèrent un responsable par wagon afin de contenir les candidats à l'évasion qui, de toute façon, n'iraient pas loin, selon eux. Le responsable, en cas de récidive, payerait pour les autres. À chaque arrêt dans la campagne, les systèmes de fermeture étaient vérifiés.

Deux jours et trois nuits de bouclage, en évitant les grands axes ferroviaires, fréquentés par la Wehrmacht. Nous lorgnions par les interstices les noms des gares. N'ayant pas de carte, nous n'arrivions pas à savoir avec précision où nous étions en Allemagne. Nous avons contourné Berlin par le sud, puis traversé l'Oder.

Le train s'arrêta. Il faisait encore nuit. On nous fit descendre des wagons. De nouveau, concert de crosses et de gummis. C'est une détestable manie qu'ont les sous-fifres ayant entre leurs mains fusils et matraques, de n'avoir de cesse de s'en servir sur des échines !

C'est quoi un gummi ?

... Un tuyau de caoutchouc rempli de sable et bouché à chaque extrémité.

Au petit matin, nous sommes enfin arrivés au camp. C'était la fin du voyage. L'endroit n'étant pas riant, j'avais déjà en tête de me faire la malle le plus vite possible.

Wehrkreis II, c'est-à-dire circonscription militaire du Reich n°2 - Poméranie - littoral baltique. La Poméranie était une région de l'ancienne Pologne. Nous étions non loin de la ville d'Hammerstein. Il y avait en tout sept camps dans ce coin pourri, deux Oflags et cinq Stalags. Mannschaftsstammlager II B, autrement dit Stalag II B, c'était là où ils venaient de nous enfermer. Putain de merde !

STALAG II B

Cette fois, je réalisai à quel point j'étais fait aux pattes. Je maudis l'armée, les curés, les enseignants, les fonctionnaires ... surtout les fonctionnaires, toutes les institutions, sans oublier Hitler, les hommes,.. Tout ! Souhaitant démolir le monde entier !

Papa, tu l'as déjà dit.

Sitôt la lourde refermée derrière nous, le cirque a commencé.
Fouille, abandon des objets personnels, des capotes, des ceinturons,
de tout équipement militaire. Sous-alimenté que j'étais, mon bénard
me tombait sur les genoux. Une ficelle le retiendra.

Pendant qu'on attendait à poil pour la douche,
des prisonniers polonais, sur place depuis neuf mois,
passaient nos uniformes à l'étuve. Je te raconte pas
le bordel pour récupérer sa liquette !

Alors que nos fringues étaient désinfectées, et avant cette douche
dont on rêvait depuis plusieurs jours, nous avons eu droit à la tondeuse
du "friseur". Les poux pullulaient dans nos toisons crasseuses. Les Allemands, qui
n'avaient peur de rien, avaient quand-même une peur bleue du typhus. C'était étonnant
qu'ils se soient laissés infecter par une autrement plus dangereuse vermine.

Il ne fallait pas être claustrophobe, une fois la porte en fer des douches claquée sur nous, car on se retrouvait dans le noir complet. Aucun rai de lumière... Si nous avions connu l'existence des konzentrations lager, on aurait paniqué.

Le camp était immense, construit sur une zone lacustre, la Baltique n'était pas loin. Une large allée centrale en granit, des baraquements tous à peu près identiques, des miradors, des barbelés, le tout posé sur du sable, voilà pour le sinistre décor. Il était divisé en plusieurs autres petits camps séparés par des clôtures, ce qui permettait aux Allemands de se livrer à des sélections.

Des Polonais terminaient les baraques. Cette main-d'œuvre, jalouse de sa priorité, ne recrutait que des Polaks, qui d'ailleurs payaient cher pour entrer dans la danse. Être maçon ou menuisier, c'était double ration de soupe et de pain.

Les Polonais, haïs des Allemands, sous-hommes par excellence, étaient toujours sapés nickel, tout au moins, ceux qui avaient réussi à conserver leur uniforme, les brodequins, les bottes pour les cavaliers, brillantes comme s'ils avaient eu des kilos de cirage à leur disposition. Des types bien, ces Polonais, fiers jusqu'à l'arrogance, soldats jusqu'au bout des ongles, mais catholiques jusqu'au délire. Après le turbin, ils regagnaient leur secteur. Dans six mois, il n'en restera plus beaucoup au camp.

Au bout de l'allée de granit se trouvait un très grand espace où furent installées des tentes. On nous transféra sous ces tentes par lots de six cents. Sous la toile, on crevait de chaleur dans la journée, et bien sûr, la nuit, couchés à même le sol, on se gelait le cul.

La promiscuité qui me pesait déjà terriblement à la caserne, m'était, ici, insupportable. Un type qui en prend pour vingt ans, sait quand il sortira de taule. Le plus dur était de ne pas savoir quand notre captivité prendrait fin, si elle devait prendre fin un jour. Certains connards étaient convaincus qu'on serait rapidement libérés, mais moi, j'étais assez pessimiste. J'étais en colère, j'aurais tout cassé autour de moi!

Papa, tu l'as déjà dit.

J'ai oublié de te dire qu'à la sortie des douches, nous avions été aspergés de poudre anti-morpions -anti-poux, j'en ai pris plein les yeux. Des tentes où nous avions déposé nos affaires, par petits groupes, nous avons été conduits dans un de ces nombreux petits camps d'attente où nous avons été triés. Ensuite, toujours encadrés, départ pour la "Kartei"- le fichier.

À des tables, des P.G. bien fringués, de plusieurs nationalités, mais surtout des Hollandais, se donnaient beaucoup d'importance. En présence des "Dolmetscher" : les interprètes - une fiche fut dûment établie, curriculum vitae égrené d'un ton las. L'organisation du Grand Reich se mettait en branle.

Nous étions venus dans cette baraque pour y remplir notre "personalkarte". Ensuite, on nous a offert une jolie plaque en zinc portant un numéro, plaque à toujours garder sur soi, et on nous a tiré le portrait. Je venais de perdre mon identité au profit d'un numéro matricule. Je n'étais plus qu'un "Stück" de viande, pris dans la toile de l'administration nazie de ce putain de camp.

Stalag II B
Nr 16402

16402

Il a fallu répondre aux questions d'un censeur..
"TOUTE FAUTE GRAVE SERA SÉVÈREMENT PUNIE.
TOUTE ÉVASION REJAILLIRA SUR LA FAMILLE."
Ce slogan se trouvait partout. Verboten! Tout était
Verboten. Je donnai donc une adresse bidon d'Henriette
et de mes vieux, et puis retour à notre
tente, en rang par cinq.

Tout nous était interdit, sauf marcher au pas et fermer nos gueules.
Les Allemands étaient débordés par ces arrivages qu'ils n'avaient pas prévus.
Il faut dire que notre défaite les avait pris de vitesse. Il leur fallait se débarrasser
d'extrême urgence d'une grande partie des P.G. qu'ils avaient sur les bras,
les sortir du camp, les envoyer trimer dans les usines, les exploitations agricoles,
les mines, les entreprises, les artisans d'Hammerstein ou des patelins avoisinants.

Ils avaient soudain des milliers d'esclaves à leur disposition,
pour nourrir et armer le "Grand Reich". 1.800.000, c'est en gros le nombre de soldats
français capturés en 1940, dont 1.600.000 furent expédiés en Allemagne. Du monde à faire bouffer,
mais des esclaves à gogo! Les réfractaires au travail étaient enfermés dans un camp spécial,
à Kobierzyn, non loin de Cracovie. Pétain n'a rien fait pour défendre ses "chers prisonniers."

Malheur à celui qui, travaillant à l'extérieur, "approcherait" une femme ou une jeune fille allemande. Il serait sévèrement puni. Si la femme était l'épouse d'un soldat au front, il serait passé par les armes. Pour les Allemandes, "gardiennes de l'honneur allemand", si elles déconnaient, c'était la prison.

Je ne sais si beaucoup ont été fusillées pour ça ? Un "haut dignitaire" nazi aurait dit : "La fornication est bénéfique pour les deux partenaires et pour le "Grand Reich". Chacun y trouve son compte et les P.G. se tiendront tranquilles. Assurant leur rendement au travail, ils auront moins tendance à saboter."

Pour les troupes d'occupation allemandes, le soldat boche n'avait pas le droit, lui non plus, d'"approcher" une Française, par exemple. Tout d'abord parce qu'elles étaient "moches et mal fichues", c'était dégradant pour l'Aryen loin de chez lui... Mais si ça lui permettait de rester efficace à son poste... On sait ce qu'il en a été.

Nous étions à peine sortis de la Kartei, que les premiers "bouteillons" ont commencé à circuler. Le bruit courait que d'ici huit jours, les Fritz allaient rapatrier les mineurs de charbon. Les cheminots suivraient, ainsi que les coiffeurs, les orthopédistes et les montreurs de puces. Alors, tout le secteur français du camp se présentait avec des papiers en règle. Profession : mineur, cheminot, coiffeur etc.

Le lendemain, la rumeur a dit que tous les détenteurs de cartes roses allaient être renvoyés sans tarder dans leur foyer. Tout le monde s'est présenté à l'appel, qui en se traînant, qui en claudiquant, pour justifier cette carte, attribuée aux malades -rhumateux -catarrheux -tuberculeux -goitreux ...

Sous les tentes, certains s'entraînaient à avoir une voix caverneuse, à cracher jaune, à boiter ou à tousser atrocement. Un voisin de couchage se levait très tôt tous les matins pour aller remplir d'eau sa gamelle, et avec un morceau de chiffon mouillé il se frictionnait un genou pour provoquer un rhumatisme. Ça craquait!

Une partie du corps, vivement frottée avec du papier de verre et sur laquelle était déposé de la poudre à laver, avait de fortes chances de s'orner d'un bel œdème. De l'aspirine pulvérisée et mélangée au tabac d'une cigarette faussait totalement la tension du faux malade avant la visite au "revier" (c'est-à-dire l'infirmerie.) et, de plus, ça lui donnait une tronche d'une pâleur mortelle.

Après notre retour, en ordre serré, sous la toile de tente, il y eut différentes affectations de travail au stalag. Et puis, tous les jours qui suivirent, des groupes de P.G., enfermés dans des petits camps internes, furent expédiés au turbin dans toutes les directions du kreis. Des entrepreneurs civils venaient aussi choisir des types, à ce qui ressemblait à un marché aux esclaves. Des gars partaient, ne remettant les pieds au stalag qu'à l'article de la mort, pour y crever comme des bêtes de somme, épuisées ou malades, devenues inutiles à l'édification du Reich éternel.

Le camp était sous la coupe du gouverneur de la région militaire, mais le véritable patron, c'était le commandant du stalag. C'est de lui que dépendaient tous les kommandos ou groupements qui employaient des P.G. comme main-d'œuvre. Autour des petits camps où transitaient, pour des raisons diverses des P.G. de plusieurs nationalités, avait lieu une intense activité de trafics, trocs, marchandages en tout genre, à travers les barbelés et malgré les rondes des "posten" (nos gardiens).

Une vie insipide, monotone et désespérante allait pouvoir commencer sur ce sable de Prusse orientale, cette région de merde. À quatre heures du matin : réveil, la corvée de "café" arrivait vers six heures. On finissait par ingurgiter ce jus de malt sans sucre et tiède, étonnamment dégueulasse, histoire de débuter agréablement la journée.

Qu'est-ce que ça veut dire, un Stück ?

Un morceau ! Un morceau de ce que tu veux. Un morceau de merde ! C'est comme ça qu'on était considérés. Heureusement que le commandant du camp ne m'a jamais demandé comment je le considérais, lui !

Ensuite, toilette autour d'une pompe à eau qui fonctionnait un jour sur deux. J'avais sauvegardé mon blaireau, mon rasoir, un reste de savon à barbe, une chemise, un caleçon et un chandail, ainsi qu'un couteau réclame St Raphaël Quinquina. Tout ça se trouvait au fond de ma musette, au moment de notre capture. Il me restait à trouver une gamelle pour la soupe.

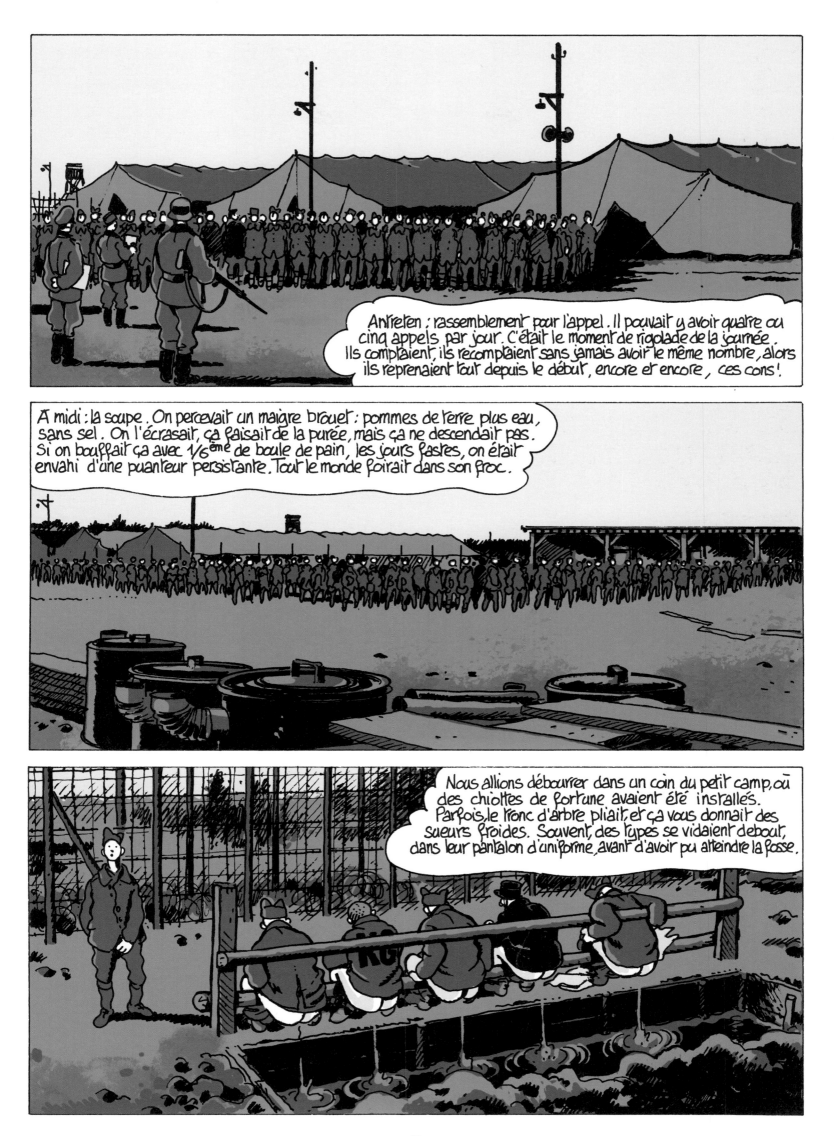

Antreten : rassemblement pour l'appel. Il pouvait y avoir quatre ou cinq appels par jour. C'était le moment de rigolade de la journée. Ils comptaient, ils recomptaient sans jamais avoir le même nombre, alors ils reprenaient tout depuis le début, encore et encore, ces cons !

À midi : la soupe. On percevait un maigre brouet : pommes de terre plus eau, sans sel. On l'écrasait, ça faisait de la purée, mais ça ne descendait pas. Si on bouffait ça avec 1/6ème de boule de pain, les jours fastes, on était envahi d'une puanteur persistante. Tout le monde foirait dans son froc.

Nous allions débourrer dans un coin du petit camp, où des chiottes de fortune avaient été installés. Parfois, le tronc d'arbre pliait, et ça vous donnait des sueurs froides. Souvent, des types se vidaient debout, dans leur pantalon d'uniforme, avant d'avoir pu atteindre la fosse.

Un jour, j'ai vu un pauvre gars plonger son bras jusqu'à l'épaule et fouiller dans cette merde typique de la dysenterie pour essayer de récupérer son portefeuille. Impossible d'échapper à cette diarrhée calamiteuse. Impossible de consulter un toubib, l'infirmerie ne fonctionnait pas, alors que du charbon à croquer aurait bien arrangé les choses.

Au milieu de ce merdier, des types insensibles à tout, inlassablement, jouaient du fric aux cartes. Sans fric, on ne jouait pas. Sans intérêt, la chose !

L'été 40 prenait fin, et je pressentais qu'on allait se geler le cul. Il me fallait trouver des fringues plus chaudes. Je n'avais sur le dos que ma veste de cuir, des chars.

Vers 18 heures, c'était le "marché aux puces", à proximité des tentes. On y troquait surtout de la bouffe, des frusques, du tabac et tous les objets interdits par les Schleus. Le reste ne comptait pas.

Des morceaux de pain, noircis d'avoir traîné des jours et des jours dans des poches, usés, durcis, assez peu ragoûtants, servaient de monnaie d'échange. Après avoir encore perdu quelques grammes, tôt ou tard, ils finiraient tout de même dans un estomac.

On y trouvait de tout sur le plan vestimentaire.
Comme des "marchandises" arrivaient de l'extérieur avec les "kommandos" qui rentraient au camp tous les soirs, c'était le triomphe du marché noir.

Ça fera l'affaire. Qu'est-ce que tu en penses ?

C'est qu'une veste de bidasse.

Une vareuse !

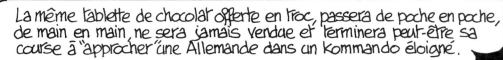

La même tablette de chocolat offerte en troc, passera de poche en poche, de main en main, ne sera jamais vendue et terminera peut-être sa course à "approcher" une Allemande dans un kommando éloigné.

Le marché noir était nécessaire parce que des types avaient été pris au combat, d'autres dans des états-majors, d'autres avec tout leur équipement et d'autres encore, les mains vides. Pour ma part, je n'avais sur les endosses que ma veste et mon pantalon de treillis anti-feu et imperméable, avec lequel il était presque impossible de plier les genoux.

Je te l'ai déjà dit, il faisait chaud dans le char fermé, moteur en marche, et au mois de mai, en plus ! La plupart du temps on est torse nu, mais au combat, lorsqu'on tire, les douilles des obus ricochent contre la paroi de la tourelle et tu les reçois brûlantes dans le dos... Alors, mieux vaut porter la veste de cuir pour éviter d'avoir la couenne roussie.

Cette putain de veste, je la troquai contre une vareuse d'officier française, bien coupée, assez chaude, et mon futal contre un pantalon un peu court, pratiquement neuf. Je me refis donc une autre dégaine grâce aux puces.

Où sont les tirailleurs sénégalais, je n'en vois pas un seul? Je ne vois pas, non plus de P.G. nord-africains.

Ceux qui avaient été acheminés en Allemagne ont été rapatriés en France et bouclés dans des camps à la frontière: des Frontstalags. Non seulement ils s'étaient fait trouer la peau pour les beaux yeux de la République française, mais en plus, le "Grand Reich" n'en voulait pas sur son territoire. Ces "indigènes" vont devoir bosser en France occupée, mais sous surveillance française. Prisonniers deux fois, en somme!

KANTINE

Les baraques terminées, on nous y a entassés n'importe comment.

À l'intérieur, ça sentait encore le bois neuf et la résine. Ce n'était pas désagréable, mais dans peu de temps, c'est l'odeur des pets, des pieds, de la transpiration, et de la mauvaise haleine qui parfumerait la cagna.

Les Allemands, pourtant si prévoyants, n'étaient pas prêts à recevoir tant de monde. Dans les baraques, construites à la va-vite, il y avait encore l'écorce sur les planches en bois brut, non raboté. Des types la grattaient, la réduisaient en poudre et fumaient ça dans leurs pipes. C'était dégueulasse. Nous n'avions plus de cigarettes. C'est à cette époque que j'ai commencé à fumer la pipe.

On était entassés de cent à deux cents prisonniers, selon les arrivages, dans deux dortoirs séparés par un local construit en dur. On trouvait dans cette partie maçonnée, un lavoir et des lavabos communs, comme ceux des casernes et des pensionnats.

Une porte d'entrée à chaque bout de la baraque. Des chiottes à côté de chacune des portes. Un poêle au milieu de chaque piaule. Les bicoques étaient toutes à peu près sur le même modèle.

Nous n'avions qu'une surface d'un mètre sur deux pour étaler nos paillasses maigrement garnies de paille ou de copeaux de bois. On pieutait sur des châlits de trois étages - deux types par niveau. Dans chaque baraque, "l'homme de confiance," un sous-off désigné, était responsable du maintien de l'ordre et rendait des comptes au posten affecté à notre cagna.

Les Allemands tentèrent l'impossible avec des Français. Ils nous donnèrent l'ordre de nous regrouper de nous-mêmes par profession. Ils comptaient sur les sous-officiers, leurs bêtes noires, pour mettre de l'ordre dans les baraques. Nous ne fîmes rien pour faciliter ce tri, au contraire. Les Fritz se fâchèrent, nous regagnâmes la baraque des sous-officiers.

S'ils essayaient de nous trier, c'était pour fournir de la main-d'œuvre aux "Kommandos" de travail à l'extérieur du camp. Alors, chaque jour, des types se planquaient dans un autre enclos, derrière les barbelés, pour échapper aux rafles.

95

La vie s'organisait dans le but d'emmerder à tout instant et au maximum, le "Grand Reich", selon nos moyens. A l'appel, alors que d'après les comptes officiels, il y avait 280 rupes, le lendemain, il y en avait 287, et le soir 270. Nos geôliers, toujours si ordonnés, ne comprenaient pas.

Alors, ils prenaient le mors au dent, sortaient leur Lüger, prêts à tirer, brandissaient leurs gummis et hurlaient beaucoup. Il y avait toujours un rupe qui parlait allemand pour suggérer au feldwebel d'appel qu'il y avait peut-être des évadés. "Impossible vous diche!" "Si! Si! Je les ai vus sortir avec les entrepreneurs de maçonnerie."

"Donnerwetter!" (Tonnerre de Dieu) et le pauvre connard s'arrachait les cheveux, menaçant de Strafkompanie (compagnie disciplinaire) les posten qui faisaient mal leur boulot. Si nous avions pu les faire condamner au poteau d'exécution, on l'aurait fait avec plaisir.

Et ça recommençait tous les jours !
Ils comptaient à cinq ou six le même groupe et ne trouvaient jamais le même chiffre.

Nous étions pliés en deux, lorsque "Kartoffel-führer" faisait l'appel. On leur avait donné de gentils petits noms à nos gardiens. IL y avait : "Kollosal Konnard", "Gross-Doryphore", "Kaiser-Choucroute" "Berliner-Saucisse", "Svastikaka"...
Nous n'étions pas placés dans les meilleures conditions pour que notre humanisme naturel puisse joyeusement s'exprimer.
Malgré les "congés payés de 36", on ne découvrait pas la mer dans un camp de vacances... On les aurait tous tués !

Un gars ou deux se déplaçaient en se planquant sur les arrières de la colonne, pour fausser le système de comptage. C'était inconcevable pour les Boches et totalement scandaleux qu'on puisse être aussi vicelards, un manque de respect, une insulte au nouvel ordre fasciste qu'ils édifiaient, en espérant sincèrement, qu'un jour les Français se laveraient enfin sous les bras.

C'était le moment de rigolade, aussi bien pour foutre la merde, que pour couvrir une évasion.

Ce genre de situation où les Fritz se ridiculisaient face aux Français indisciplinés, moqueurs, débrouillards et "supérieurement intelligents", fera les riches heures d'un certain cinéma français d'après-guerre, dans le genre "rigolo". Ces films, qui ne rendront pas compte de nos conditions de vie, nous montreront comme de joyeux potaches, chahutant ces pauvres Boches qui n'étaient que lourdeur, rigidité et connerie.

C'était pas le cas ?

Vous étiez plus nombreux. En avançant d'un pas, vous auriez pu les écraser...

Ça, c'est une idée de môme ! Sans armes, nous serions allés droit au carnage. Un soulèvement du camp n'était même pas envisageable. N'oublions pas les fusils-mitrailleurs des miradors. Où serions-nous allés ? A 100 km au nord, la Baltique, au sud, à l'ouest, que des Boches, et à l'est, les Ruskoffs à l'époque encore alliés des Fritz.

Le matin, très tôt, été comme hiver, les porteurs de café, pour justifier leur titre et leur présence au camp, décollaient des baraques à toute vitesse avec leurs brocs suspendus à la chinoise. Ils revenaient aussi vite, leurs récipients pleins à ras bord de cette infecte tisane à la feuille de chêne ou aux glands. Les Posten les faisaient dégager à coups de gummis.

À midi, patates ou rutabagas -navets à vaches- nageant dans beaucoup d'eau. À 16H, une cuillère à soupe de margarine ou de fromage blanc, totalement dégueulasse, ou une cuillère de confiote ersatz ou de boudin, et c'était tout pour la journée.

Comme tu le vois, l'ordinaire laissait à désirer. On aurait bouffé les bottes du Feldwebel, si on nous avait laissé faire.

Le plus important, c'était le pain. "La boule à cinq". Le pain est sacré, tout le monde sait ça... surtout quand on n'en a presque pas ! Notre pain quotidien n'avait pas la forme d'une hostie mais celle d'un gros cake d'un kilo... pour cinq P.G ! Confectionné avec une farine innommable, sa mie était répugnante. Non levé, il était pâteux au milieu, de la mélasse dans le bas, mais on le bouffait quand même. Bien entendu, le "brot" de la troupe était mieux levé !

Chaque soir, il fallait respecter, et même adorer, la distribution du pain. C'était une véritable cérémonie, une messe, un pataquès extrêmement sérieux. Nous nous étions bricolé une balance de type Roberval, avec deux couvercles de boîtes à cirage de la même marque. Le fléau était posé en équilibre sur la lame d'une baïonnette dérobée à un Posten et cachée sous le plancher dans la journée. La baïonnette était coincée sur champ, entre deux planches de la table.

On pouvait voir aussi des balances romaines, mais il n'y avait pas que des adeptes de la pesée, il y avait ceux qui préféraient mesurer l'épaisseur des tranches.

Quinze mille, vingt mille, je n'ai jamais su combien nous étions dans ce camp de merde! Il y avait des Polonais, des Serbes, des Hollandais, des Belges, des Français... Il y avait beaucoup trop de monde, ça c'est sûr. Mais pas question de rester là, à se les rouler. Les Fritz avaient des projets pour nous avec leurs putains d'Arbeitskommandos!

Qu'est-ce que ça veut dire?

Kommandos de travail, en principe pour les moins de quarante-cinq ans. Gewerbkommandos, pour le taf à l'usine... Landwirtschaftkommandos, l'agriculture... patates, betteraves, navets, rutabagas... Merde!

Nous étions une main-d'œuvre abondante, bon marché et corvéable à merci. Je te l'ai déjà dit, nous étions des esclaves. C'était la loi du plus fort. Bien qu'en principe exempté de travail par la convention de Genève, parce que sous-officier, je me suis quand même planqué un temps pour éviter les rafles, les Fritz ne faisant pas dans la dentelle. Plutôt rester au camp que de bosser pour le IIIᵉ Reich!

Les vieux de quarante balais, qui ne tenaient pas à travailler non plus, étaient sincèrement scandalisés que les plus jeunes se défilent. Certains nous ont dénoncés aux Boches.

J'ai même fait partie de la chorale, avec un pote de Lyon, GIRARDIN, pour couper au Kommando. Pour déconner, on chantait faux, à la grande colère du "Meister" et des autres P.G. qui risquaient leur gâché. Nous avons vite compris notre erreur. Nous nous sommes retirés de la chorale.

Je n'avais toujours pas reçu de colis d'Henriette pour subsister, mais j'ai tenu le coup. J'avais obtenu du papier et un crayon et je dessinais des combats de chars pour tromper la faim.

On la sautait, et vivre avec des types qui ne parlaient que de bouffe, qui composaient des menus et s'échangeaient des recettes de cuisine avant de virer dingue, c'était pénible...

Je n'en pouvais plus alors, un jour, j'ai eu l'idée de me laisser prendre. Chez les péquenots, à la cambrousse, y a toujours un oeuf de poule qui traîne, c'est bien connu. Et puis l'occasion de mettre les bouts se présenterait peut-être plus vite que prévu...va savoir?

Avec deux cents gars environ, j'ai été conduit dans un petit camp annexe, où nous avons passé la journée entière et la nuit, bouclés dans une baraque. Au petit matin, on nous dirigea vers la gare.

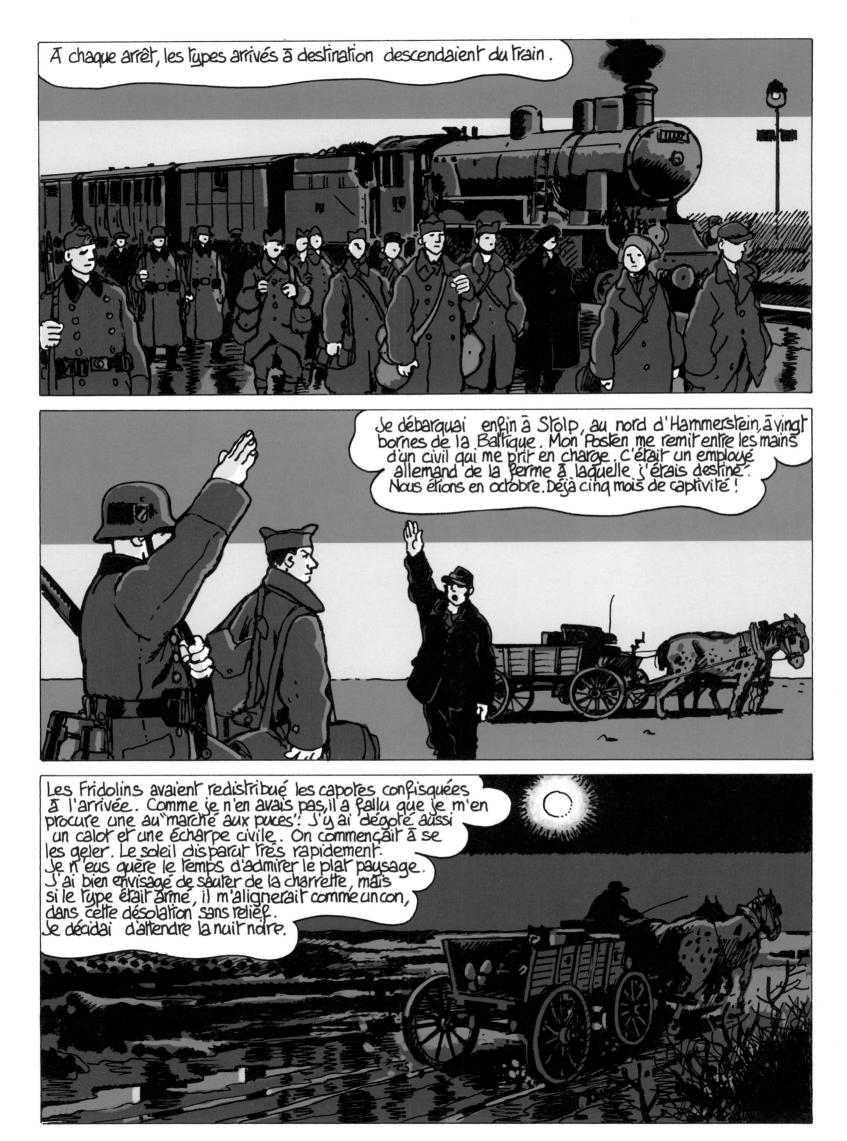

À chaque arrêt, les types arrivés à destination descendaient du train.

Je débarquai enfin à Stolp, au nord d'Hammerstein, à vingt bornes de la Baltique. Mon "Posten" me remit entre les mains d'un civil qui me prit en charge. C'était un employé allemand de la ferme à laquelle j'étais destiné. Nous étions en octobre. Déjà cinq mois de captivité !

Les Fridolins avaient redistribué les capotes confisquées à l'arrivée. Comme je n'en avais pas, il a fallu que je m'en procure une au "marché aux puces". J'y ai déniché aussi un calot et une écharpe civile. On commençait à se les geler. Le soleil disparut très rapidement.
Je n'eus guère le temps d'admirer le plat pausage.
J'ai bien envisagé de sauter de la charrette, mais si le type était armé, il m'alignerait comme un con, dans cette désolation sans relief.
Je décidai d'attendre la nuit noire.

Nous quittâmes la petite route pour nous engager sur un mauvais chemin au bout duquel se trouvait la ferme d'État, terme de mon voyage. Nous avions mis la journée pour parcourir une trentaine de kilomètres. J'arrivai dans ce sinistre endroit par une belle nuit de pleine lune.

Je fus remis contre décharge à un "Meister" qui en deux mots, dans un petit bureau, m'expliqua la manœuvre. Je compris très bien

Arbeit égal travail et pas d'Arbeit, nicht essen ! Pas bouffer ! C'était toujours le même refrain sur tout le terrain conquis par le IIIe Reich.

On me fit monter dans un grenier où vingt P.G. Français étaient vautrés dans la paille. On me désigna une couche, tout au fond. Ces gars-là, tous des paysans, me firent un mauvais accueil. Il était manifeste que pour eux j'arrivais en intrus, leur enlever le pain de la bouche.

Nous étions arrivés à Trèves un beau dimanche de juin et c'est à nouveau un dimanche que j'échouai chez les bouseux. On m'avait refilé un gros pain pour tenir toute la semaine et ma ration de margarine, confiture et charcutaillerie ersatz dégueulasse. Je m'installai, bouffai au moins la moitié de mon allocation nourriture, et sombrai dans un lourd sommeil qui, depuis ma capture, était peuplé de Feldgraus que j'écrasais avec mon petit char.

DONG DONG DONG DONG DONG

Je fus réveillé, alors qu'il faisait encore nuit noire, par un forcené de Polak assez bruyant. Les ploucs du grenier étaient déjà debout. Dans un concert de "Los", "Schnell" agrémenté de moulinets de manches de fouets, pour stimuler les traînards dont j'étais, on nous fit descendre.

Toilette rapide, pas le temps de se raser. J'appris que je devais participer au ramassage des pommes de terre. C'était la première bonne nouvelle depuis ma capture !

105

Une meute de civils, hommes, femmes, jeunes, vieux, sales petits merdeux des "Jeunesses Hitlériennes" venus faire leur B.A, permissionnaires et convalescents, attendait dans la cour. Tout ce beau monde-et nous autres-fut conduit en charrette jusqu'aux champs pour la récolte du précieux tubercule.

Quatre tracteurs "Lanz" tournaient à toute vapeur, tirant chacun un arrache-patates. Ils roulaient trop vite, projetant loin de chaque côté les maudites Kartoffeln.

J'étais tombé bien bas en me laissant entraîner dans cette affaire. Je pataugeais dans la boue, avec sur le dos l'autre gros doryphore qui ne cessait de siffler dans une clef creuse pour remettre au boulot ceux qui traînaient. Ce type n'avait pas compris que je n'étais pas du tout intéressé par ses patates !

Après ça, y a les betteraves.

Mon pauvre papa !

106

On remplissait des corbeilles qu'un jeunot enlevait
et vidait dans un plus grand récipient. Deux autres types en balançaient
le contenu dans une charrette, qui, une fois pleine, partait à bride abattue
verser son chargement dans une immense fosse tapissée de paille. Un silo à "kartof",
qui, recouvert de paille et de terre, était censé conserver les patates tout l'hiver.

Contre une corbeille remplie, ils te refilaient un jeton. Le total des jetons en fin de
journée, donnait droit à deux ou trois cigarettes-paille allemandes,
des "cigarettes orientales", comme ils disaient.

Ces Allemands ne chômaient pas. Ils rivalisaient même entre eux
de rendement. Ils chantaient, sifflaient, fanfaronnaient, mangeaient leur
casse-croûte d'une main, tout en continuant à ramasser les "kartof" de l'autre.
Les Français mettaient un point d'honneur à tenir la cadence.

Être loin de chez moi, je m'en foutais, mais me trouver au milieu de ces gens,
accrochés à leur terre, appliquant méthodiquement leurs slogans hitlériens, et de
ces paysans français prisonniers qui essayaient de les surpasser, ça me rendait fou de rage.

À midi, repos d'une demi-heure. Les Français faisaient des ronds de jambe auprès des filles. Le gros doryphore à la clef creuse n'était pas content.

À la nuit tombante, on embarqua dans les charrettes. Les gars profitaient des cahots pour se laisser tomber contre les paysannes.

Arrivé à la ferme, tout le monde s'éparpilla à l'entrée de service. Un petit peu de bouffe et je m'écroulai sur ma paille. Mon grade de sergent-chef me permit tout de même de rabattre le caquet à ces vingt peigne-cul, visiblement trop heureux de mettre toute leur ardeur à ramasser les patates du Reich !

Je repartis au travail le lendemain matin, et à la pause de midi je décrétai ne plus pouvoir avancer, que je souffrais de la dysenterie. Je n'avais rien mais on me fit rentrer à la ferme.

Un "Wachmann (surveillant) m'a conduit, dès le lendemain matin à la visite à Stolp, à l'hôpital militaire de la base d'aviation. Mon gardien, un vieux qui avait dû faire 14-18, m'avait fait comprendre que je serais mieux étendu sur la paille qu'il avait installée pour moi. Brave type! Je n'ai rien tenté pour me tirer. J'étais affalé comme un cochon à l'agonie, lors de notre entrée triomphale dans la cour de la caserne.

Un médecin militaire – je ne connaissais pas encore bien les grades schleus-cria : après que j'eus réussi à lui faire comprendre le nombre hallucinant de fois que je prétendais être allé chier. Il y avait trois officiers dans la pièce. Ils vinrent tâter la qualité non ersatz de ma vareuse en gabardine premier choix. Je repartis avec une petite boîte de charbon à croquer.

Rauchen verboten

HALT! KOHL!

C'était le moment de la distillation des pommes et mon Wachmann s'arrêtait à chaque alambic pour goûter l'eau-de-vie. Nous rentrâmes au trot léger. J'avais bien fait de ne pas essayer de m'évader car le vieux, bien que sympathique, planquait un petit pistolet dans une poche de sa veste. Nous arrivâmes de nuit au Kommando, mon gardien totalement saoul.

J'étais exempt de "kartof", mais bon pour les travaux légers. Le jeudi, avec un groupe de P.G., nous avons dû décharger des gerbes de paille et les monter à la fourche au premier étage d'une grange. Ce sont les autres qui firent ma part de boulot, prétextant que j'étais toujours chiasseux, au bout du rouleau.

Le "Meister" siffla dans sa clef, m'engueula et me promit la strafkompanie. Je lui répondis que j'en avais rien à foutre de sa paille, qu'il pouvait bien se torcher avec, que j'étais sous-officier, n'avais donc pas à travailler, et que par retour de bâton c'est lui qui morflerait!

Le jour suivant, le gros doryphore m'ordonna de grimper au sommet d'un immense tas de fumier qui trônait au milieu d'une des cours. De là-haut, en pleine puanteur, je devais faire tourner un cheval en le guidant à la longe, pour presser cette merde!

Presser du fumier? Ça sert à quoi?

À récupérer l'ammoniac, qui rentre dans la composition de certains explosifs!

110

Vois-tu, petit, avec ce boulot, j'étais descendu aux Enfers. Mes pompes regorgeaient de purin, et outre l'odeur du fumier, les vapeurs d'ammoniac me faisaient tourner la tête. J'étais proche de l'asphyxie. Le Meister m'espionnait depuis les écuries, mais dès qu'il avait le dos tourné, j'arrêtais le bourrin, qui lui non plus n'était pas dans son assiette. Alors le doryphore sifflait pour nous faire reprendre la cadence.

Ce cirque dura toute la matinée. J'eus droit aux litanies du gros con : Que les Français n'étaient que des cochons indignes de cohabiter avec les Allemands, race supérieure, que le pain qu'on mangeait, on le volait, qu'il y avait une justice, et que le Führer mettrait bon ordre au bordel qu'on était en train de foutre !

PAPA !

J'ai dû ricaner parce que le gros m'a balancé sa corde en pleine poire. Il me pria de faire ma musette le plus vite possible. On ne me donnerait rien à manger puisque j'avais perçu ma bouffe pour la semaine dès mon arrivée. Je n'avais roulé du fumier qu'une demi-journée, c'était déjà trop. Je n'avais pas trouvé d'œuf sous les sabots du cheval.

Les travaux agricoles ne m'avaient pas du tout intéressé et par ailleurs, je n'avais pas non plus envie de contribuer à la fabrication d'explosifs pour les Boches. Le Meister s'étant lassé de moi, je fus donc renvoyé. Je repartis au Stalag dans les mêmes conditions qu'à mon arrivée, sauf qu'à Stolp, je dus attendre qu'un gardien soit disponible pour m'escorter jusqu'au camp.

111

Au moment de mon départ, je fus accablé de reproches par les péquenots français du kommando parce que je ne voulais pas travailler. C'étaient des paysans. Ils n'étaient peut être pas tous comme ça, mais ceux que j'avais caroués durant cet intermède campagnard, étaient passionnés par la "cueillette" des patates. Ils donnaient aussi des conseils : "Chez nous on fait comme ça…" Ils étaient levés avant l'appel, prêts à bosser. C'était la "Terre" ! Le grand appel de la "Terre" ! Ils avaient perdu de vue depuis longtemps qu'ils nourrissaient l'armée allemande.

J'appris que pendant que je pataugeais dans le fumier, un prisonnier avait été abattu au moment de l'appel.

Je fus admis dans une baraque prévue pour des cas identiques au mien. J'ai recousu mes galons aux manches de ma vareuse pendant qu'un copain faisait griller ses poux dans le couvercle d'une boîte de cirage.

Le chef de baraque m'avertit de l'arrivée d'un colis pour moi. Mon premier colis!
J'allais rapido à la "Post" avec mon ticket d'autorisation de retrait, que je
présentais, ainsi que ma plaque d'identité en zinc, portée au cou.
J'avais bien sûr écrit à Henriette, en juin, dès mon arrivée au stalag.

On avait le droit, chaque semaine, d'envoyer une carte type
de sept lignes et une lettre pliante de vingt et une lignes, chaque mois.
Tout ça pouvait être censuré ou refoulé pour un nom douteux - "correspondance non conforme"!
Les Nazis ont tenté de superviser absolument tout, même les choses les plus bénignes.

Chaque colis était méthodiquement
inspecté. Les boîtes de conserve,
les récipients en tous genres,
étaient ouverts à la baïonnette
et systématiquement piquetés.
Ils auraient pu contenir
des objets précieux, en vue
d'une "évasion massive".

Si l'Allemand était correct, il remettait en place proprement
le contenu du colis. Si c'était un salaud, il vidait chaque
récipient en prenant un malin plaisir à mélanger pâté,
chocolat, margarine, confiture et saucisson. Le pauvre P.G.
n'avait plus qu'à avaler tout ça en un seul repas.

Certains paquets arrivaient en mauvais état, après s'être baladés à travers l'Europe où il y avait des camps partout. Alors des équipes de rafistoleurs s'en occupaient, après avoir prélevé quelque chose au passage. Le colis terminait son voyage presque vide, dans un Kommando quelconque. S'il y avait une Mafia dans ce camp pourri, c'est à la Poste qu'elle se trouvait.

Par la suite, dans chacun des colis que j'ai reçus, il y avait toujours, dans un double fond de sac, une lettre d'Henriette. Et puis je m'étais fait des copains à la Poste... des Corses ! Ils me prévenaient, et même, me sortaient mes colis, ça me sera très utile plus tard.

Comment ça ?

Je te raconterai, le moment venu.

TARDI, c'est Corse, comme nom, hein ?

J'ai connu des types qui, pendant toute la durée de leur captivité, n'ont jamais reçu de colis, pas même de la Croix-Rouge. Comme quoi y a pas de Bon Dieu... Ça n'a pas empêché les culs-bénis de fêter Noël ! L'année 40 prenait fin. Déjà sept mois passés derrière les barbelés !

Un jour, un curé m'a dit : « Faut pas déconner, nous sommes prisonniers de guerre, c'est une punition d'en haut, il faut la subir. » J'en suis resté comme deux ronds de flan.

Les Fritz avaient autorisé la messe, le dimanche, dans un local dépourvu de bancs. Un censeur assistait à l'office pour s'assurer qu'on y disait pas de mal du "Grand Reich". Comme dans toutes les sectes, les adeptes faisaient régner l'ordre. Nettoyage, imagerie pieuse, fabrication des gris-gris - tabernacle, crucifix, ciboire, etc... Toute la sainte quincaillerie ! Préparation et entretien du surplis et de la chasuble du cureton, dévotement confectionnés par les tailleurs bigots du camp.

Il y eut aussi des messes en plein air par moins quinze et des processions en tous genres. Ça valait son pesant d'hosties !

La Croix-Rouge avait offert un harmonium. Des prêcheurs itinérants, accompagnés de deux ou trois enfants de chœur P.G., allaient dire des messes à répétition dans les kommandos, des musettes accrochées à leur carriole pour recevoir les dons.

Ces types étaient des fumistes de haut vol qui avaient même réussi à se faire respecter par les Allemands. Les kommandos les attendaient avec impatience, ça faisait diversion. Sur l'harmonium, on jouait "Sambre et Meuse" ou des variétés, rien de religieux. Ça faisait toujours passer cinq minutes.

115

Cette histoire d'évasion, nous en reparlerons plus tard...
Pour l'instant, j'ai faim, et ça m'empêche d'avoir les idées claires.
Tout comme les autres, j'ai parcouru le camp à la recherche de quelque chose
de mangeable. Il y avait des P.G. qui trimballaient avec eux deux musettes
en bandoulière. Une première pour la bouffe, au cas où, l'autre, qu'ils ne quittaient
jamais des yeux, contenait toutes leurs richesses.

Les crève-la-faim finissaient toujours par rôder aux alentours
des cuisines, où des légions de types, les oisifs, ou ceux qui n'avaient
pas de tâche particulière au réveil, cherchaient à se faire embaucher.
Tous ces itinérants portaient en permanence leur gamelle attachée
à la taille par une ficelle. Aux cuisines, il y avait de véritables
négriers P.G., qui fournissaient la main-d'œuvre.

Aux "Küchen", un grand bâtiment en dur, il y avait
les chefs : ceux qui touillaient les "Kartofeln", ceux qui remplissaient les
brocs à l'heure de la soupe, et les obscurs, les humbles qui épluchaient
les patates sans discontinuer. Un coup de sifflet dès qu'ils levaient la tête. Il y avait
aussi ceux qui se planquaient et qui s'affairaient dans le vide, pour donner aux Fritz
l'impression d'avoir une activité légale, car il était bien entendu que : "Nicht arbeit, nicht manger".

117

À l'extérieur, il y avait les porteurs. C'était à qui s'approprierait un brancard pour se mêler aux équipes de travail, apporter les patates, virer les épluchures. Il faut dire que tous ces "travailleurs" qui se forçaient un peu, ne le faisaient pas dans l'espoir d'aider Germania à gagner la guerre, mais pour bouffer une soupe supplémentaire. C'était la possibilité du rab qui attirait la foule aux cuisines. Il y avait des Teutons et des P.G. qui s'y conduisaient en parfaits fumiers.

Un jour, un aristo, un type plutôt marrant, comte dans la vie civile, s'est fait porter dans un brancard à pommes de terre pour rigoler. Les Allemands n'ont pas apprécié. Ils l'ont expédié illico en Pologne orientale, à Graudenz, un camp spécial, dans une compagnie disciplinaire.

Il y avait aussi les solitaires qui se faisaient cuire des patates gelées sur des réchauds de leur fabrication. Ils avaient de très gros problèmes de combustible.

Ceux qui n'avaient pas trouvé de gâche aux cuisines, fouillaient les poubelles, à la recherche d'épluchures à éplucher.

Les désespérés sombraient, le ventre vide, dans une sorte de délire alimentaire. "Un P.G. doit avoir faim". C'était un principe consciencieusement appliqué par nos geôliers.

On aurait bouffé les barbelés et les poteaux qui vont avec. Certains faisaient d'ailleurs infuser l'écorce de ces poteaux, histoire d'obtenir une sorte de tisane : de l'eau chaude, parfumée à l'écorce de pin ... Dégueulasse !

À la Libération, on a trouvé vingt-cinq tonnes de beurre stockées à proximité d'un stalag.

J'ai connu un sonderführer (grade indéfinissable) qui parlait parfaitement français. Ce type passait plus de temps avec nous qu'avec ses potes et nous tenait au courant de l'évolution de la guerre. Il s'appelait Von Seckendorff. Il était baron. Il a fini par avoir des ennuis pour collusion avec les P.G.

119

Une autre gâche recherchée, parce que les P.G. y faisaient la loi, c'était : videur de merde. Au début, les vidangeurs la récupéraient dans des seaux à confiture. Tout ça pour le compte d'un civil boche, grand amateur de caca, qui avait la mainmise sur cette activité. Les goguenots en plein air avaient fait leur temps, les fosses avaient été comblées. On chiait maintenant dans un bâtiment en dur, un peu dégagé des autres, construit par les Polonais. Même notre merde était utilisée par le Reich pour faire pousser ses légumes.

Au bout d'un certain temps, le civil est venu avec une citerne, équipée d'une pompe à bras, et des tuyaux qui fuyaient. Les gars qui avaient l'estomac de faire ça recevaient une prime : quelques patates cuites à l'eau qu'ils faisaient revenir avec de la margarine, dans les chiottes, après le turbin.

Des entrepreneurs venaient tous les matins chercher de la main-d'œuvre à la porte du camp. Terrassement, maçonnerie, travaux en tous genres, en échange de quelques fameux tubercules. ... La faim...Toujours la faim.

Des coureurs affamés, excités par les sentinelles, tournaient pendant des heures en solitaire, à la limite des barbelés, la tronche cramoisie et les yeux hagards.

120

Un beau matin le chef de baraque me dit : « Présente-toi à la kartei, il y a une place pour un gars à la trésorerie. Magne-toi, c'est une bonne planque. »

Une bonne planque, ici ? À quoi ça pouvait bien ressembler ?

Tu vas peut-être tomber sur des types en train de concocter un plan d'évasion, va savoir ?

Je dus me présenter au commandant de la trésorerie. Je claquai sec du talon et renvoyai énergiquement le bras dans le rang. Ça plaisait beaucoup aux Teutons, ce genre de pitrerie. J'obtins le job. Je ne sais si j'empestais toujours le fumier ? Peut-être ? Si c'était le cas, j'étais ravi d'avoir empuanti la "zahlmeisterei"!

La baraque était propre. Je fus admis dans une grande pièce où il y avait déjà deux Toulousains à la jactance épouvantable, qui ne parlaient que de ténors et du Capitole, un curé et deux Parisiens : une grande gueule de bouffeur de provinciaux, et Drouot, avec qui j'allais vite fraterniser.

J'ai changé encore une fois de baraque. J'avais pour seuls bagages, ma musette, ma boîte de vente, deux couvertures et quelques fringues. Au troisième étage d'un châlit, j'ai trouvé une place libre et m'y suis installé. Après avoir planté deux ou trois clous pour accrocher mes affaires, j'ai tendu un bout de ficelle pour ma serviette et me suis plongé dans la lecture d'un très passionnant bouquin sur les locomotives à vapeur.

À la bibliothèque, les livres venaient d'un peu partout et dans toutes les langues. Les bouquins intéressants se refilaient sous le manteau. On ne les voyait jamais remonter à la surface. Je n'ai lu que d'insipides romans d'aventures, ou des ouvrages scientifiques, rien de politique, bien sûr, la censure ne laissait pas passer grand-chose. Le P.G. bibliothécaire était un parfait connard d'enseignant qui ne se prenait pas pour de la merde, un peu comme certains pédants libraires qui s'imaginent avoir écrit les livres qu'ils vendent.

Notre volonté de nuire nous donnait la force, dès le réveil, d'envisager une nouvelle journée sous le ciel poméranien. Nous tirions une maigre satisfaction de nos sabotages en tous genres. Les appels dans le froid et les communiqués quotidiens bidons à la gloire de l'armée schleu, devenaient insupportables.

Deux P.G. français, affectés dans une île de la Baltique, revenaient à terre tous les trois ou quatre mois pour changer de frusques aux magasins du camp. Ils travaillaient dans un kommando de pêcheurs et poussaient l'outrecuidance jusqu'à faire porter leurs sacs de hardes par un vieux posten blessé, alors qu'ils franchissaient la porte du stalag les mains dans les poches.

Les Boches n'ont jamais rien dit, ni au vieux, ni aux deux pêcheurs de harengs. Ecoeurés par la chaude ambiance du camp, ils ne faisaient jamais de vieux os parmi nous. Ils regagnaient le plus vite possible leur île, où d'ailleurs, le posten éclopé allait finir ses jours. Nous devions l'apprendre lors de leur passage suivant.

Ces magasins d'habillement avaient été organisés pour les déshérités, ceux qui n'avaient pas même un croûton de pain rassis à troquer. On y trouvait des uniformes ramassés sur les champs de bataille, de la Finlande à la France en passant par le Danemark, la Norvège, les Pays-Bas, la Belgique... Certaines de ces pièces dépareillées étaient tâchées de sang séché. Tu vois qu'ils pouvaient avoir le coeur sur la main, quand ils voulaient, les Schleus.

On pourrait presque avoir pitié du vieux posten.

On s'en foutait pas mal! Là où nous étions... plus exactement là où ils nous avaient mis, le ventre vide et sans espoir, il n'y avait plus de place pour les sentiments.

Je n'ai pas grand-chose à dire sur les magasins, sinon que des tailleurs, de métier ou non, rafistolaient des uniformes de toutes nationalités. Un coup de pochoir à la peinture blanche K.G.F. (Kriegsgefangenen-Frankreich) dans le dos. Je n'ai jamais eu ça sur les endosses. Pour arrondir les fins de mois, les tailleurs découpaient des capotes pour confectionner des chaussons qu'ils vendaient à ceux qui portaient des sabots de bois.

Un jour, on a eu l'impression que la Kriegsmarine avait coulé un cargo de sabots. Tout le monde en avait aux pieds pour économiser les chaussures en cuir. Les godasses cloutées étaient réparties aux kommandos. Des officiers et des sous-off allemands venaient se faire faire des bottes gratis par les cordonniers qui étaient tous bien chaussés, et de cuir! Comme aux cuisines, les boeufs étaient de beaux salopards. Ils savaient que les pompes, c'est vachement important.

Et toi, tu as porté des sabots?

JAMAIS!

Drouot créchait dans une autre baraque que la mienne, où il jouait à la "crapette" avec des gars du Nord. Au II B, il y avait, chez les Français, des types de toutes les régions, mais c'était le Nord qui dominait. Je garde un bon souvenir des Chtimis, ils savaient chahuter, foutre la pagaille à l'appel, prêts à faire chier les Boches à tout instant.

125

Les joueurs de cartes, c'était une véritable calamité. Ils mobilisaient tout, tables, tabourets, lits supérieurs, ils jouaient même dans les chiottes. Après l'extinction des feux, ils s'éclairaient en utilisant un couvercle de boîte de cirage rempli de rafelmargarine qu'ils enflammaient, un morceau de couverture torsadé en guise de mèche.

Maintenant je recevais plus régulièrement des colis et des lettres de Maman. À cette époque, la Drôme se trouvait encore en zone nono.

Zone nono ?

Zone nonoccupée ! En gros tout le sud de la Loire. Au nord, c'était le Grand Reich qui faisait la loi. Lorsqu'un pays est envahi, la collaboration avec l'envahisseur, commence dans la minute qui suit. La résistance à l'envahisseur, c'est un peu plus long. Il faut s'organiser, et puis c'est dangereux, mais c'est inévitable. La zone nonoccupée, c'étaient les conditions de l'armistice, pour permettre à cette vieille peau de Pétain, d'installer un gouvernement collaborationniste.

Pendant un an et demi, il y eut une certaine "souplesse" dans les relations France-Allemagne, mais ça ne concernait en réalité que la politique et la collaboration officielle. Les P.G. n'en furent pas bénéficiaires, sinon quelques "colis Pétain" contenant des biscuits secs et des cartes postales pré-remplies, avec au recto la tronche du Maréchal, son balai de chiottes sous le blair.

"La patience est peut-être aujourd'hui la forme la plus nécessaire du courage" Voilà ce qu'on pouvait lire sous le portrait du Maréchal. Nul doute que j'étais courageux, mais ma patience était à bout !

À la trésorerie, on parlait entre nous, de notre sort, de la France qui ne devait pas être belle à voir, de Vichy, de Laval et Pétain, les sinistres sous-fifres d'Adolf.

Pétain, le vainqueur de Verdun, l'idole des poilus, avait drainé une grande partie des anciens combattants 14-18. "La der des ders "..." Plus jamais ça". On s'est suffisamment foutu sur la gueule, maintenant on est copains avec les Pruscos. Puisqu'ils sont là, profitons-en pour bâtir l'Europe de demain, ensemble, la main dans la main, quoi qu'en pensent nos ennemis héréditaires, les Anglais ! Verdun, "On ne passe pas !" cette fois ils étaient passés et bien passés. "On les aura !", ils nous avaient bien eus ! On les avait dans nos pantoufles, les Fritz, et pour combien de temps encore ?

Même ici, il y avait des collaborationnistes. Les Allemands leur avaient refilé un local où se réunissait le Cercle Pétain. Ces petits mouchards se voyaient déjà dans un ministère à Vichy, mais dans quelque temps ils retourneraient leur veste et deviendraient des résistants exemplaires.

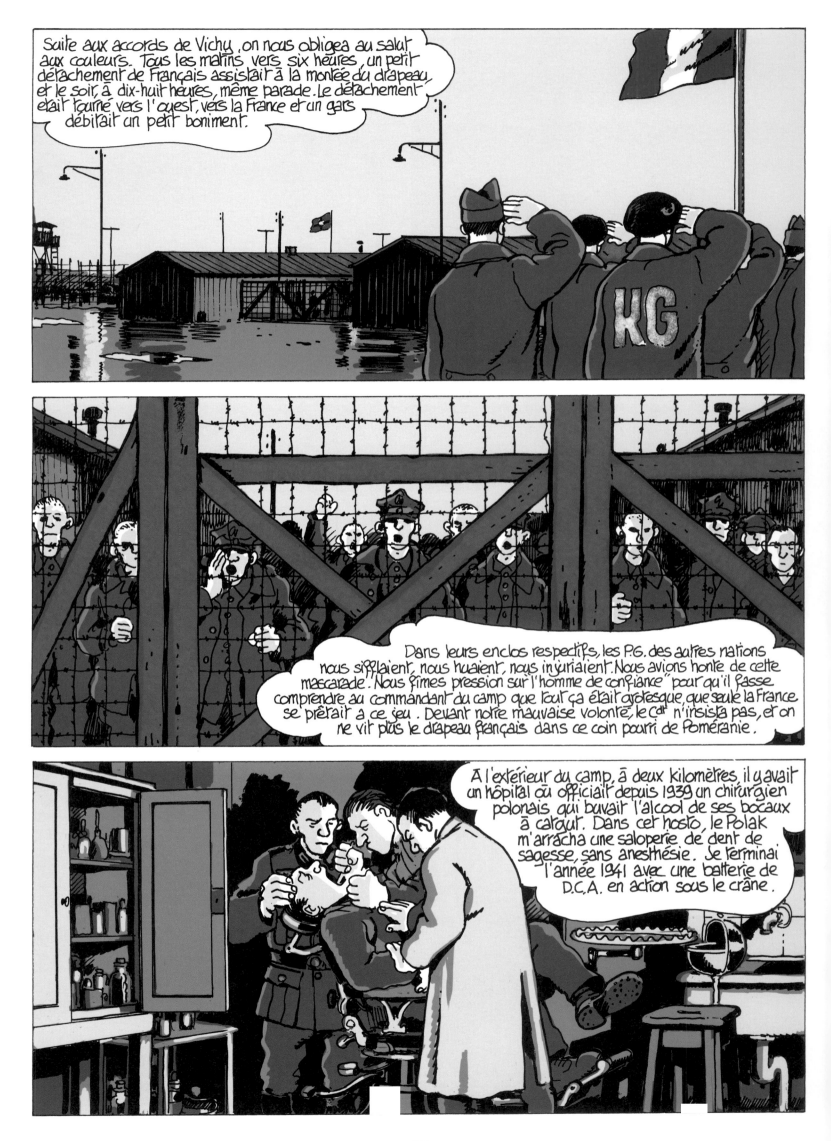

Suite aux accords de Vichy, on nous obligea au salut aux couleurs. Tous les matins vers six heures, un petit détachement de Français assistait à la montée du drapeau, et le soir, à dix-huit heures, même parade. Le détachement était tourné vers l'ouest, vers la France et un gars débitait un petit boniment.

Dans leurs enclos respectifs, les P.G. des autres nations nous sifflaient, nous huaient, nous injuriaient. Nous avions honte de cette mascarade. Nous fîmes pression sur l'"homme de confiance" pour qu'il fasse comprendre au commandant du camp que tout ça était grotesque, que seule la France se prêtait à ce jeu. Devant notre mauvaise volonté, le C.dt n'insista pas, et on ne vit plus le drapeau français dans ce coin pourri de Poméranie.

À l'extérieur du camp, à deux kilomètres, il y avait un hôpital où officiait depuis 1939 un chirurgien polonais qui buvait l'alcool de ses bocaux à catgut. Dans cet hosto, le Polak m'arracha une saloperie de dent de sagesse, sans anesthésie. Je terminai l'année 1941 avec une batterie de D.C.A. en action sous le crâne.

128

Nos deux colis mensuels, autorisés - quand ils nous parvenaient - ne suffisaient pas à soulager nos estomacs. La bouffe, toujours la bouffe... C'était la préoccupation essentielle du prisonnier. Cette obsession pouvait le conduire du délire à la folie. Des types qui étaient orphelins, de l'Assistance Publique ou seuls au monde, n'ont eu à se mettre sous la dent que l'ordinaire du P.G., c'est-à-dire presque rien.

Ces gars se sont vite inscrits au bureau du travail pour aller bosser à la campagne, où, à en croire la rumeur, on bâfrait comme des rois, cochons et volailles, avant d'échouer dans le plumard d'une Polonaise. En somme, la belle vie au grand air, au bord de la Baltique...

Moi qui avais fait l'expérience du Kommando agricole, je ne les contredisais pas, je leur laissais toutes leurs illusions. Le temps passait et je ne voyais toujours pas comment m'y prendre pour faire la belle.

Une fois, à midi, nous eûmes, en complément de notre maigre ration de soupe, de la morue cuite à l'eau, avec les éternelles "kartof". C'était trop salé mais on n'allait pas se plaindre. Cette morue provenait d'un cargo arraisonné en mer du Nord. Pour qu'on nous en donne, le rafiot devait être d'un gros tonnage et rempli jusqu'à ras bord. C'était quand même plus intéressant que les sabots de bois!

À 18 heures, chaque jour, sauf le dimanche, un communiqué était lu dans la baraque. C'était un condensé de l'évolution de la guerre, expurgé, embelli et censuré par un sonderführer convaincu que nous allions gober son baratin.

Tous les soirs, ceux qui rentraient au camp après avoir pu écouter la B.B.C. faisaient un compte-rendu à l'homme de confiance. Il y avait un homme de confiance par nationalité. C'était un sous-off ou un cureton désigné pour servir d'intermédiaire entre nous et les Fritz.

Après le communiqué officiel du Reich, nous mettions à jour sur une carte le plan de bataille, version B.B.C.

Les discussions sans témoin, les plans d'évasion infaillibles à bord de la Mercedes réglementaire du Cdr du camp, les combines les plus sophistiquées pour trucider Hitler à coup sûr, s'échafaudaient en ces lieux d'aisance.

L'endroit était aussi fréquenté par d'exigeants gourmets qui répugnaient à manger froid. Ils se pointaient dans les gogues avec leur matériel, un seau de confiture percé de trous, insuffisamment garni de charbon, qu'ils utilisaient comme brasero.

Tout ça parce que nos fines gueules n'avaient pas pu trouver de place autour du poêle de leur baraque, occupé par les éternels morfales. C'était fréquent! Alors, un pote à eux faisait le guet dehors, parce que c'était streng verboten -comme pratiquement tout- de faire la cuisine dans les chiottes. Mais les gardiens traînaient rarement par ici.

Dans chaque demi-baraque, il y avait un poêle en briques brutes, et ce poêle était envahi, dès 18 heures par les sédentaires qui faisaient chauffer plusieurs gamelles à la fois, les leurs et celles de leurs copains. Quand on débrayait à 18 heures, pas moyen d'avoir une place avant l'extinction des feux.

Je me suis cogné avec une grande gueule de Marseillais qui monopolisait ce putain de poêle! Ce type criait à mon intention, qu'il ne pouvait pas encadrer les sous-off, mais ce sale con avait cousu un galon de sergent aux manches de sa vareuse pour ne pas être expédié en kommando! Inutile de te dire que moi qui m'étais engagé, on ne me blairait pas. Les sous-officiers en prenaient pour leur grade!

Tu as toujours dit que tu détestais l'Armée. ...Alors les galons.

Des scribouillards fridolins, civils ou militaires, se rendaient dans leurs services, souvent sans armes, avec une sacoche en cuir qui contenait leur gamelle. Ceux qui étaient armés portaient leur cartable de la main gauche, la droite prête à tirer ou à saluer. On ne les saluait pas. C'était ce manque de "dizipline" qui nous avait perdus, disaient-ils. Si la France s'était alliée avec la Grande Allemagne, nous aurions conquis le monde, ajoutaient-ils!

S'il arrivait qu'on les salue pour déconner, ils rendaient un salut réglementaire, comme des gros cons. Dans leurs gamelles, s'empilaient quatre ou cinq étages de sandwiches. Pain, tafelmargarine, pain, cochonnailles ersatz, pain, patates et quelquefois du boudin.

Lorsqu'il y avait du boudin au menu des Schleus, Gourdin, qui bossait au magasin d'habillement, fonçait dans les chiottes prélever un peu de merde sur la lame de son Opinel.

Dans le dos de son posten, Gourdin ouvrait la sacoche puis la gamelle, et tartinait une fine couche de merde à l'étage du boudin.

Un jour que Gourdin n'avait rien à becter, même pas un morceau de pain sec, le posten l'interpelle : « Kourdin, rien à manger, ce matin ? »

J'ai déjà bouffé.

Nicht gut ta nourriture. Prends le pain avec le boudin, moi j'ai assez mangé.

Gourdin rechigne, explique que le boudin, ça lui colle des boutons... L'Allemand n'est pas convaincu, et Gourdin est bien obligé de bouffer la tartine de boudin-merde.

« Alors, il est pas bon, mon casse-croûte ? Je suis pas ton ennemi. Tu es un pauvre soldat comme moi. Tu es mon kamarad. Je t'aime bien, Kourdin. » Gourdin s'était juré de faire manger de la merde aux Boches.

Arrrh... c'est dégueulasse !

Oh, c'est pas bien méchant.

Dans chaque service, il y avait toujours un Allemand qui sympathisait plus ou moins avec les P.G. à force de voir les mêmes têtes.

134

Je pense que demain nous aurons des "kartof" dans nos gamelles.

Je t'ai déjà parlé des douches au moment de notre arrivée, mais il faut dire que ce bâtiment, trop petit, géré par un P.G. français, n'était jamais disponible. La clef n'était jamais là, pas d'eau, et quand il y en avait, elle était froide. Des milliers de types restaient en attente d'un bon vieux décrassage.

Le savon qu'on utilisait provenait de nos colis. Officiellement, une fois par mois, on recevait un morceau de savon vert, d'un volume à peine plus gros que trois morceaux de sucre accolés. Ce truc, c'était du sable, ça ne moussait pas mais ça puait. Dans les lavabos des baraques, des types raclaient le fond des auges en ciment pour y glaner des restes microscopiques de savon.

Un morceau de savon de Marseille ou une demi tablette de chocolat pouvaient quelquefois être bien utiles pour amadouer un posten.

Comme il neigeait depuis la fin septembre, je portais un caleçon long, deux chandails l'un sur l'autre et ma vareuse sous ma capote. Les cuirs, petit à petit, avaient refait leur apparition. J'avais percé des trous dans un ceinturon et mon bénard pouvait enfin tenir en place.

L'appel, toujours ce putain d'appel et par –15°, –20°, quelquefois –30°! Pour des types sous-alimentés, c'était un véritable supplice, que ces salopards prolongeaient par pur sadisme. Mais, bien qu'efficacement équipés contre le froid et correctement nourris, nous savions que les Fritz se les gelaient, eux aussi (et c'était une maigre consolation!) On mettait toujours un point d'honneur à brouiller le comptage, malgré la température, ce qui foutait hors de lui le feldwebel Kaiser-choucroute, lorsqu'il était responsable de l'appel.

Chaque fois, des types saisis par le froid s'effondraient sur le sol gelé. Les posten se faisaient une joie de les remettre sur pied vite fait, à coups de crosse, à coups de botte, à coups de baïonnette, sous l'œil amusé du feldwebel. Il lui fallait son compte et il reprenait tout depuis le début, ce fumier!

Suite à ces brutalités, pas mal de pauvres types se sont retrouvés à l'hosto. Un gars de ma baraque fut amputé d'une jambe après s'être pris un méchant coup de baïonnette. La plaie s'était infectée et la gangrène avait fini le travail. Il attendit des mois au "Revier" (l'infirmerie) avant d'être rapatrié, mais beaucoup mouraient avant de faire le voyage de retour.

À l'infirmerie on ne soignait rien du tout. Il n'y avait rien, à part un médecin major P.G. sous les ordres d'un toubib schleu, qui y logeait avec deux infirmiers. Durant toute ma captivité, je n'ai jamais été malade. Je ne suis allé à l'infirmerie que trois fois pour des vaccinations contre le typhus.

Tout le monde avait des poux, y compris les Allemands. Ils en avaient ramené de Russie avec le typhus et c'était bien fait pour leurs gueules. Parler de ces petits parasites à un posten le faisait déguerpir illico. C'était pratique pour éloigner les emmerdeurs, mais il valait mieux cacher qu'on en avait, sinon c'était la quarantaine dans une sorte de cagibi-prison.

Dans chaque baraque, à tout moment, c'était la chasse aux morbacs. Ces saloperies avaient une prédilection pour le bout de tissu qui recouvre la fourche du falzar.

Les effets, bouillis et désinfectés à la "kréoline" ressortaient de l'autoclave complètement rétrécis. Quant aux cuirs, n'en parlons pas : les grolles avaient perdu trois pointures. La bouffe était jetée aux ordures et les crânes tondus. En dépit de toutes ces précautions, il n'a jamais été possible de se débarrasser des poux.

D'où sors-tu ce béret ?

C'est un béret des chars. Mon bonnet d'âne de la biffe est resté dans l'autoclave.

Tant mieux ! Je n'aimais pas dessiner ce calot à la con !

On ne dit pas un calot ! On dit un bonnet de police !

De police ! Voilà pourquoi je n'aimais pas dessiner ce truc !

J'ai vu arriver les premiers prisonniers russes dans un état de délabrement complet. Je m'en souviens comme si c'était hier.

Ces pauvres Ruskoffs avaient, pendant au moins deux semaines, parcouru des milliers de km dans des wagons à bestiaux, et sans nourriture, bien sûr. Les Allemands n'avaient pas été surpris, dès l'arrivée, de trouver pas mal de cadavres dans ces wagons, à l'ouverture des portes.

Considérés comme des sauvages, les Russes étaient les plus mal traités d'entre nous. Il faut dire que les Allemands qu'ils gardaient prisonniers n'étaient pas non plus traités avec la plus grande délicatesse. Ils furent donc enfermés dans des baraquements, à l'écart, tout au fond du camp. Ils crevaient de faim mais nous ne pouvions pas grand-chose pour eux, sinon leur passer quelques croûtons entre les barbelés, lorsqu'il était possible de s'approcher de leur enclos.

Le typhus sévissait dans leurs rangs, bien plus sévèrement que chez nous qui avions été vaccinés, contrairement à eux. Ils tombaient comme des mouches ... C'était l'hécatombe recherchée par les Boches. Mais même dans la déglingue totale, les Russes restaient très dignes devant les Allemands.

Cet hiver, la Wehrmacht s'était laissé congeler en Russie et ça les rendait vachards et encore plus brutaux, les posten. Les conditions de vie au stalag s'en ressentaient: les crosses de Mauser et les gummis s'abattaient à tout bout de champ sur les échines osseuses des P.G de toutes nationalités.

139

La trésorerie, c'était une sacrée gâche. Nous n'y étions pas trop emmerdés. Quelquefois, on nous reprochait de ne pas aller assez vite. Quand le travail pressait, on freinait. D'autres fois, nous faisions en une heure ce qui aurait dû prendre une journée. L'Allemand ne comprenait pas.

Notre boulot de scribouillards, plus exactement de tenue des comptes, n'était pas très compliqué et malgré les exhortations au silence, nous parlions de notre sort et de la tournure que prenait le conflit. En déclarant la guerre aux U.S.A., fin 1941, ce con d'Adolf avait signé son arrêt de mort, nous en étions certains, et totalement réjouis.

Drouot était souvent découragé. Comme nous tous, il ne voyait pas le bout du tunnel, et loin de sa môme, Yvonne, qui travaillait dans une maison de couture à Paris, Boy sombrait dans la déprime.

Boy ?

Boy, c'est comme ça que j'appelais Drouot. Mais il faut prononcer bois, comme du bois. Tout ça, à cause d'un des Toulousains qui bossait avec nous. Ce type lisait "Autant en emporte le vent", et comme il n'entendait rien à l'anglais, il disait : "Hello, bois," chaque fois qu'il croisait Drouot. Ça nous a fait marrer. Ce surnom lui est resté.

Combien de fois j'ai dû lui remonter le moral à Boy (prononcer bois!) et lui dire :

T'en fais pas, Maurice. Tu la reverras ta môme.

Boy (prononcer bois!) m'a fait aimer les bateaux. Il m'en parlait tout le temps. Il était très fier du "Normandie", magnifique et luxueux transatlantique français, qui devait finir sa course incendié, en 42, dans le port de New York.

Quand les Allemands attendaient encore plus de la collaboration Laval-Pétain-Vichy, on reçut pas mal de livres pour la bibliothèque. J'ai appris à connaître Joseph Conrad qui était l'auteur préféré de Boy (prononcer bois!) ... Forcément, les bateaux !

Le curé qui m'avait dit : "Nous sommes prisonniers de guerre, c'est une punition d'en haut, il faut la subir...", faisait partie, lui aussi, de notre équipe de faussaires à la trésorerie. Il avait obtenu un ausweis pour aller dire la messe le dimanche dans les kommandos voisins et il rentrait toujours au camp, bourré de victuailles, dons des paysans.

Et ton évasion ? Toujours rien ?

C'est encore trop tôt, je viens à peine de faire la connaissance de Chardonnet. Il bosse depuis peu à la trésorerie. Il vient d'arriver dans la baraque. C'est mon voisin de lit. Je t'en parlerai plus tard.

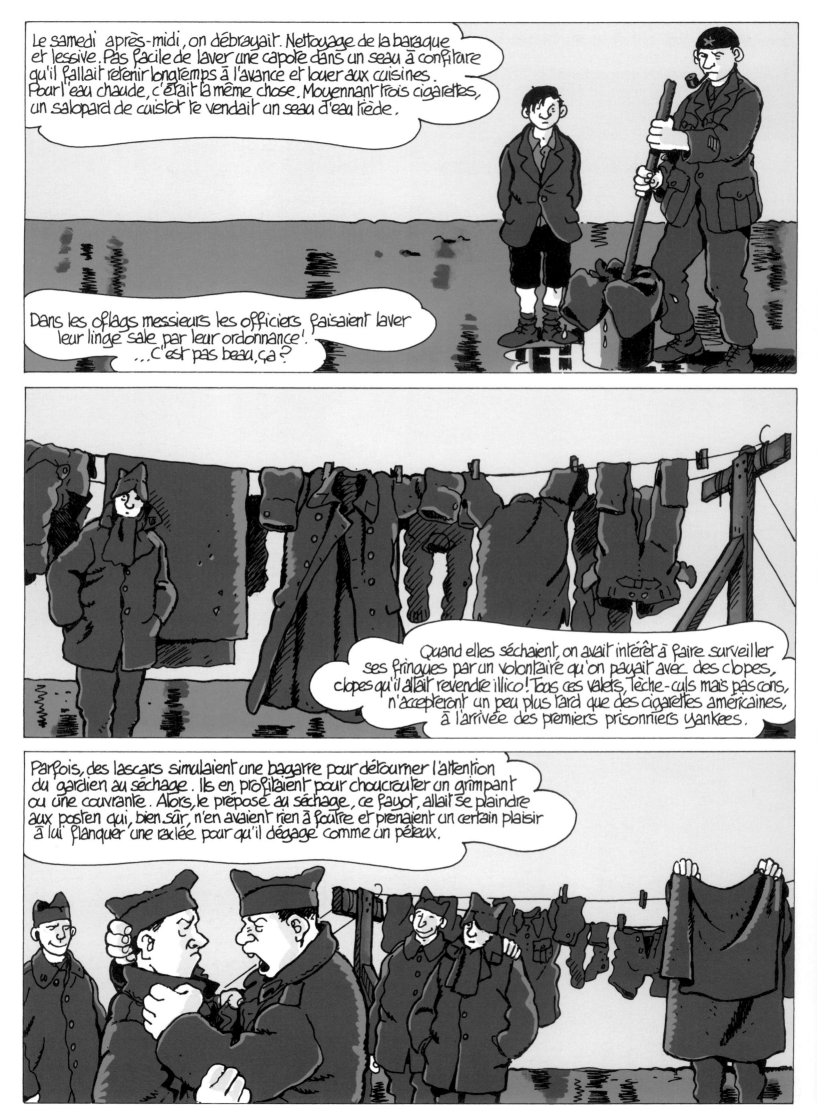

Le samedi après-midi, on débrayait. Nettoyage de la baraque et lessive. Pas facile de laver une capote dans un seau à confiture qu'il fallait retenir longtemps à l'avance et louer aux cuisines. Pour l'eau chaude, c'était la même chose. Moyennant trois cigarettes, un salopard de cuistot te vendait un seau d'eau tiède.

Dans les oflags messieurs les officiers faisaient laver leur linge sale par leur ordonnance!. ...C'est pas beau, ça ?

Quand elles séchaient, on avait intérêt à faire surveiller ses fringues par un volontaire qu'on payait avec des clopes, clopes qu'il allait revendre illico! Tous ces valets, lèche-culs mais pas cons, n'accepteront un peu plus tard que des cigarettes américaines, à l'arrivée des premiers prisonniers yankees.

Parfois, des lascars simulaient une bagarre pour détourner l'attention du gardien au séchage. Ils en profitaient pour choucrouter un grimpant ou une couvrante. Alors, le préposé au séchage, ce fayot, allait se plaindre aux posten qui, bien sûr, n'en avaient rien à foutre et prenaient un certain plaisir à lui flanquer une raclée pour qu'il dégage comme un péteux.

Souvent, d'inévitables règlements de comptes éclataient entre P.G. De sévères cassages de gueule de petits délateurs-Kollabos, qui n'avaient que ce qu'ils méritaient. Et ça se terminait à la prison. Une prison dans la prison, en somme.

Douze cellules de 2 m x 1 m 50, un chiotte, un lavabo. Il fallait appeler pour pisser. Au bout du couloir, une petite table avec le registre des entrées et des sorties et un feldwebel très imbu de ses fonctions, qui menaçait ses clients des foudres du ciel. Une heure de ronde par jour autour du bâtiment.

Comment tu sais ça ?

J'ai eu le plaisir de visiter les lieux.

Certains détenus punis étaient soumis au supplice de la "pelote". Debout! Couché! À genoux! Rampez!... Avec, en bandoulière, deux musettes remplies de briques. Et ça durait des heures. Mais il y eut bien pire à Graudenz, Tarnopol et Rawa-Ruska, où étaient expédiés les P.G. repris après trois évasions et les sous-off réfractaires au travail. Dans ces camps spéciaux, des hommes sont morts, assassinés à la pelote et sous les coups.

Durant les jours qui suivirent l'arrivée des Russes, chaque matin, les sentinelles refoulaient les prisonniers dans leurs baraques, pour dissimuler à leurs regards les charrettes débordant de cadavres.

Mais nous avions bien vu, du côté de l'enclos des Ruskoffs, tout au fond du camp, les corps balancés à la volée dans des charrettes. Corps nus, dépouillés par leurs compagnons, bien plus malheureux que nous... Le typhus, la faim et le Grand Reich accomplissaient leur œuvre. Plus tard, les Russes furent relégués dans un camp spécial, dans des baraques en terre datant de la guerre de 14-18, et polonaises à l'époque.

Le sinistre convoi remontait l'allée centrale de granit pour se rendre à proximité d'une grande fosse qui avait été creusée à l'extérieur du camp. Les cadavres y étaient alors déversés avant d'être brûlés.

En 1942, je ne pouvais pas encore avoir connaissance d'autres fosses, creusées deux ans plus tôt près de Smolensk, dans la forêt de Katyn. Sur les bords de ces tranchées se tenaient des hommes des services secrets soviétiques, le NKVD, et dans les profondeurs de ces tombes gisaient 22 000 cadavres, en majorité des officiers de l'Armée polonaise. Tous exécutés d'une balle dans la nuque, à la manière de la Gestapo, avec des armes allemandes, mais sur ordre de Staline, semble-t-il...

Et elle dit quoi, la vérité ?

Il faudra attendre encore longtemps pour que la vérité remonte du fond de ces charniers !

Et toujours l'appel - appel du matin - appel du soir - contre-appels, dans le froid et avec l'estomac vide. La Croix-Rouge Internationale avait bien distribué çà et là quelques colis mais c'était une goutte d'eau.

Nous eûmes une fois des morceaux de renard dans la soupe. Peut-être cinquante renards pour dix mille types. Ça n'a aucun goût, le renard ! Il y avait un élevage de ces animaux non loin du stalag. Leurs peaux servaient à confectionner des doublures de capotes pour la Wehrmacht qui n'avait pas chaud, la pauvre, en Russie !...

C'était des P.G. qui piquaient les bestiaux pour les occire et les morsures étaient fréquentes... Gare à la rage !

Des femmes baltes de Lettonie, Lituanie, Estonie, remplacèrent les Russes tout au fond du camp. Certaines avaient leurs enfants avec elles. Il n'y avait pas d'eau courante dans cet enclos, mais une pompe à bras qui fonctionnait un jour sur trois. Ces jours-là, on en voyait certaines remplir leur bouche de flotte pour la tiédir, la recracher dans le creux de leur main et laver rapidement le quart de la joue morveuse d'un bébé.

Ces femmes étaient en transit, avant d'être expédiées au service du "Grand Reich", à la campagne ou dans des usines d'armement.

Les Fritz pouvaient se vanter d'avoir foutu un beau bordel aux quatre coins de l'Europe en déplaçant des millions de personnes. La plupart à la fin de la guerre ne retrouveront même plus leur pays. Les Boches les ont appelés des "heimatlos",... apatrides.

146

Les prisonniers qui bossaient non loin du camp rentraient au stalag tous les soirs. Et comme le dimanche on ne travaillait pas dans les kommandos, le samedi soir après l'turbin, on faisait la java. Les tables et les tabourets étaient poussés pour dégager le terrain.

Notre accordéoniste, après s'être longuement malaxé les phalanges, attaquait furieusement "Reine de Musette" ou "Perles de cristal"... des classiques. Et ça y allait !... Et l'assistance en redemandait !... Et les voilà tous, transportés un misérable instant chez eux, à Toulouse ou à Paname, au bal du samedi soir !

Boy, (prononcer bois !) il aimait ça, l'accordéon. Je n'avais dit à personne que je bricolais un peu de cet instrument et aussi de la clarinette.

Certains gars, fringués en femmes, guinchaient avec les autres. Parmi eux, il y avait Germaine qui avait beaucoup de succès et qui ne cachait pas son penchant pour les hommes. Les posten interrompaient leur ronde pour se repaître du spectacle, pliés en deux.

Les visiteurs des autres baraques envahissaient les lieux. Les châlits craquaient sous le poids, des types se battaient pour leurs "nénettes," des couples se formaient et sortaient en douce. Ça ne s'arrêtait qu'à l'extinction des feux.

Papa, et ton évasion?

Beau paysage, non?

On a eu un piano et des instruments, mais payés par les P.G. Des galas étaient organisés, auxquels assistaient toujours un censeur et des Allemands du camp. Tout ça se terminait immanquablement par l'inévitable French cancan, avec des gars grimés en filles.

MOULIN ROUGE

Je n'ai jamais su ce qu'ils en pensaient, de ces galas à la con, les Boches. Ils semblaient aimer ça, ils se marraient. Ils venaient volontiers aux concerts. On leur donnait du Beethoven pendant que des P.G cisaillaient les barbelés. Ça leur plaisait bien, la musique.

Ton évasion?

J'étudie le problème avec Chardonnet. Nous avons un plan!

Je n'ai vu que trois films itinérants en 1942 : Un film français produit par la "Continental", une comédie musicale avec Judy Garland, et un film allemand de la U.F.A. avec Zarah Leander. Les Fritz en profitaient pour nous passer des "actualités" où la "Wehrmacht" volait de victoire en victoire...
Sifflets et remous dans la salle. C'était au moment où le IIIe Reich attendait beaucoup de la Kollaboration avec la France.
Puis il n'y eut plus de films.

Le théâtre du stalag était un rassemblement de gars qui avaient créé un état dans l'état. Il était installé dans une baraque vide avec quelques décors pour faire la farce. Des couvertures servaient de cloisons pour cacher les amitiés particulières. Les Teutons faisaient une chasse impitoyable aux homosexuels !

Il y eut, malgré tout, quelques représentations, mais je ne suis jamais allé au théâtre du camp. Le théâtre m'a toujours fait chier... Peut-être à cause de l'oncle Désiré Desroses ?

Tu dis qu'avec ton pote Chardonnet vous avez une combine pour vous tirer ?

Cette putain d'année 42 passée derrière les barbelés et à l'ombre des miradors prenait fin dans la boue glacée de Poméranie. Par la radio clandestine, nous avions appris que depuis la fin juillet, à 300 km d'ici, à Varsovie, les nazis avaient entrepris l'extermination systématique des juifs emmurés dans le ghetto.

En novembre nous apprîmes aussi la fin de la zone "nono". Les Fritz occupaient maintenant toute la France jusqu'à la Méditerranée, pour cause de débarquement U.S. en Afrique du Nord, et la flotte française s'était sabordée à Toulon pour ne pas tomber aux mains des Boches.

Les Italiens alliés des Allemands occupaient Valence. Je venais de recevoir une lettre de ta mère et je me faisais du mauvais sang pour elle. Mussolini, en voilà encore un dont j'aurais volontiers et avec plaisir, écrasé la gueule sous les chenilles de mon char !

Jamais tu ne t'évaderas !

On se battait en Russie, dans le Pacifique, en Afrique du Nord, en Asie, au Moyen-Orient, sur terre, sur mer et dans les airs... Le monde entier s'évertuait à s'étriper consciencieusement quand débuta l'année 1943.

L'Allemagne avait exigé de la France l'envoi en nombre d'une main-d'œuvre qualifiée pour ses usines d'armement. Dès août 42, encouragés par Laval, des ouvriers français s'étaient portés volontaires pour aller fabriquer des Panzer. En échange, pour trois ouvriers spécialisés expédiés en Allemagne, un P.G. serait libéré. C'était la "Relève".

Qu'est-ce que c'est que ce truc ?

Un pélican !

Comme il ne devait pas y avoir suffisamment de volontaires, en février 43 tout ce bordel devint obligatoire et ce fut l'instauration du S.T.O. (Service du Travail Obligatoire). Basile, le demi-frère de Zette, s'est retrouvé à rafraîchir des nuques chez un "friseur", quelque part, outre-Rhin.

Pour décarrer des camps, la priorité était donnée aux malades, aux pères de famille nombreuse, aux anciens 14-18, aux ingénieurs et ouvriers spécialisés susceptibles d'être bien utiles à l'industrie de guerre boche.

Quant à moi, rien à espérer de ce côté-là pour rentrer à la maison ! À ce régime, j'y serais encore aujourd'hui et de toute façon, malgré mon désir évident de quitter la riante Poméranie, ça m'aurait sacrément emmerdé de le faire dans ces conditions.

Alors évade-toi !

En ce mois de février, nous fûmes sincèrement réjouis d'apprendre la défaite des Allemands à Stalingrad. Les communiqués bidons allaient bon train. Nous avons commencé à sentir que le vent avait tourné. Le Grand Reich avait entamé sa dégringolade.

Les Allemands affichaient toujours la même morgue. C'était la guerre totale, ils allaient bientôt disposer d'armes nouvelles qui leur assureraient la victoire finale. Ces connards en étaient convaincus. On commençait à se foutre de leur gueule, nos posten le prenaient mal et les coups de gummis pleuvaient encore plus bestialement qu'avant. Le bois des crosses semblait plus dur encore.

Je te l'ai déjà dit, Chardonnet avait été muté à la Trésorerie. Nous étions voisins de grabat-au 3e étage-et nous échafaudions un plan d'évasion aux petits oignons. Il s'agissait de rentrer en Belgique par la région de Malmédy, revenue à l'Allemagne après l'Armistice de 1940, où il n'y avait pas de douane mais un gros trafic de travailleurs dans les mines du coin. C'était, paraît-il, du tout cuit, en passant par là plutôt qu'ailleurs. Je tenais ça d'un pote qui avait réussi son coup et l'avait fait savoir à Zette qui me l'avait fait comprendre dans une lettre.

Vous allez devoir traverser toute l'Allemagne d'est en ouest ? C'est de la folie !

Je me rendais bien compte que nous n'étions pas encore arrivés. À pied, il nous faudrait voyager de nuit et nous planquer le jour. C'était pas sérieux, nous en étions conscients. Mais pourrions-nous prendre le train ? Vu la distance à parcourir, ce serait préférable. Il y aurait des contrôles. Il nous faudrait des papiers, deux costumes civils et diverses autres choses à nous procurer dans le camp.

Pas plus Chardonnet que moi ne parlions la langue du pays. En deux ans et demi, je n'avais pas fait de progrès. Je n'articulais que le teuton rudimentaire que nous tenions des posten : Achtung ! Los ! Kaputt ! Ça n'allait guère plus loin.

153

Les mineurs franchissaient la frontière deux fois par jour, il y aurait, à coup sûr, moyen de se glisser dans le flot des gueules noires. Ce problème serait à étudier sur place.
Une fois en Belgique, nous serions moins repérables, et nous trouverions bien un moyen pour passer en France.

Votre plan est complètement foireux !

Ferme ton clapet ! Tu l'ouvriras quand tu auras fait ton service !

Le moment venu, nous sortirons du camp avec un Kommando agricole.

Pour les papiers, il y avait une équipe de faux-monnayeurs - faux tampons - faux ausweis, qui travaillait au fond d'une baraque, derrière des couvertures de camouflage, et entourée de guetteurs pour signaler l'arrivée des posten. Il faudrait payer.

Pour les vêtements taillés dans des couvertures, la confection d'un costume prenait du temps. Là aussi il faudrait payer le tailleur pour son travail et son secret de fabrication pour les teintures.

Nos gardiens venaient d'être dotés d'un bitos assez choucard, une "feldmütze" de garde forestier qu'ils portaient avec fierté ... Ces cons !

Le ridicule ne tue pas !

...Et c'est bien dommage !

Une évasion, ça se prépare comme un plan de bataille.
La mise au point est longue et rigoureuse, et en cas d'échec
il faut s'attendre à de sévères représailles.

Les P.G. repris à leur première évasion
étaient renvoyés à leur camp. À la deuxième ils
étaient expédiés au camp le plus proche. Enfin à la troisième
tentative manquée, enfermement dans des camps spéciaux,
disciplinaires, aux conditions de détention effroyables-barbarie nazie garantie!
Rawa-Ruska, Thorn, Graudenz, Tarnopol ou Colditz, un beau château-
forteresse, dans les hauteurs, pour messieurs les officiers.

À la Trésorerie, il y avait de plus en plus de monde.
On nous avait changés de local et casés dans un petit bureau où nous étions,
la plupart du temps, sous les ordres d'un scribouillard réserviste ou convalescent.
Nous avons eu, pendant quelques semaines, un soldat de 50 ans environ, gentil au possible,
qui n'a jamais emmerdé un P.G., préférant faire le boulot lui-même que commander.

Le matin, en arrivant, il disait bonjour à chacun d'entre nous
et murmurait : "Scheisse das Krieg."

SCHEISSE HITLER!
SCHEISSE DAS REICH!
SCHEISSE FÜR ALLES!

...lui répondions-nous.
Il se tapait sur les cuisses,
il était bien d'accord
avec nous. Il s'appelait
Wolfahrt et il était de
Leipzig. Un communiste
acharné qui ne s'en cachait pas.
C'était gonflé de
nous avoir confié ça.
C'était un type bien.

155

De sa place, Wolfahrt pouvait voir si un officier se pointait.
Lorsque l'horizon était dégagé, il sortait un petit bout de carte et nous indiquait
la ligne de front. Il ignorait qu'on était mieux renseignés que lui grâce aux
récepteurs clandestins, mais c'était tout de même sympathique
de sa part. Ensuite, il déchirait la carte en menus morceaux.

À 9H, il sortait de son cartable sa gamelle en alu en forme de rognon
qui contenait quatre doubles tranches de pain à la margarine et cochonnailles-ersatz.
Il découpait les tranches en parts égales sur la une du "Volkischer Beobachter",
le torche-cul du parti nazi, et nous les offrait.
Et toi, tu n'as rien ? Grâce à lui, j'ai pu quelquefois
manger à midi. Brave type. Rien à voir avec les autres.
Il est resté un temps avec nous,
puis on ne l'a plus jamais revu.

Notre existence de captifs continuait, réglée par les appels,
la brutalité grandissante, les communiqués – par haut-parleurs,
ou lus dans les baraques par un sonderführer consciencieux, mais
toujours contrebalancés par les nouvelles de la B.B.C. – et la faim...
Toujours la faim !

Nous crevions tous de faim. Parmi nous, les Yougoslaves morflaient énormément, à cause de la résistance acharnée que dirigeait Tito, leur chef. Ils recevaient pourtant des haricots secs, en telle quantité qu'ils en revendaient. Les Belges, eux, se cachaient, ne divulguant rien de l'administration de leur roi. Les plus malheureux étaient toujours les Polonais... Tout au moins les derniers survivants.

Il ne restait plus beaucoup de Russes mais il y en eut quand même quelques-uns, de passage à la trésorerie. Et les premiers Anglais firent leur apparition.

Dans chaque service, il y avait maintenant des Anglais, des Belges, des Russes, des Hollandais, des Yougoslaves, des Français, et dans peu de temps, il y aurait des Américains. Alors tu vois le foutoir... Trop de monde ! Les Allemands n'ont jamais pu contrôler quoi que ce soit !

Un P.G. s'était imposé, circulant dans les baraques administratives muni d'une boîte contenant un tournevis, une pince et une petite brosse. C'est pour l'entretien des machines à écrire, disait-il. Quand les Allemands remontaient aux origines de sa fonction, les explications étaient tellement confuses qu'ils abandonnaient. Je leur disais qu'il avait été désigné par le ministère des P.G. "Ach so..." acquiesçait le responsable du moment à la trésorerie.

Boy (prononcer bois!) déprimait toujours. C'était un chic type et lorsqu'il y eut un mouvement pour la "relève", nous avons tous insisté, à la trésorerie, pour que la Kartei retienne son nom. Et puis il était le plus âgé d'entre nous. Drouot avait onze ans de plus que moi. Il rentra donc à Paris retrouver sa môme. Nous nous reverrons après la guerre. Il deviendra mon meilleur ami.

Trésorerie stalag II B été 1942
De gauche à droite:
TARDI
DROUOT
MAIRE Aumônier.
BAUDOIN Bookmaker.
CHARDONNET
?
RIVALS Ténorino de Toulouse.
FARAIL Journaliste.

Vous aviez un appareil photo?

Il était possible de rentrer des tas de trucs avec les kommandos. Quelquefois, on pouvait s'acheter la complicité d'un gardien.

Les types qui travaillaient en ville chez les boulangers détournaient des pains. Le brichetan gris était pour le commun des Allemands, le blanc pour les hôpitaux. Ces gars, équipés de pèlerines de chasseurs alpins, accrochaient des pains blancs, ou autres denrées, à leur ceinturon. A leur retour au camp ils n'étaient pas fouillés.

Et votre évasion, où ça en est?

Nous avons décidé de mettre les voiles avant qu'on se gèle le cul.

Il y a une chose que je ne pige pas. Comment as-tu fait comprendre à maman qu'elle devait t'envoyer fric, boussole, etc.? Un code?... Impossible! Une lettre écrite en clair, sortie de la poste par tes copains corses? Réglementairement tamponnée avec de faux cachets, échappant ainsi à la censure? Tu ne dis rien de tout ça dans tes cahiers. J'aurais dû te poser la question quand il en était encore temps.

Que pouvait bien faire Zette à Valence, maintenant que les Allemands avaient repris les choses en main, à la suite des Italiens?

Eh bien, Zette descend la rue Paul-Bert qui longe des bâtiments de la S.N.C.F. Il fait très chaud.

Arrivée rue Sévigné, derrière la gare, à deux pas de l'entrée du tunnel qui traverse la ville, la rue monte légèrement et à cet endroit, presque en face des grands magasins "Les Nouvelles Galeries," une grille sépare la rue des voies ferrées en contrebas. Zette longe cette grille.

Sur une voie de garage en plein soleil un train est à l'arrêt. S'échappant des wagons de marchandises tout près d'elle, des voix l'interpellent. Des mains se tendent par les claires-voies. Des hommes et des femmes, enfermés dans les wagons, lui demandent à boire. « De l'eau s'il vous plaît, Madame... De l'eau ! » Il s'agit vraisemblablement d'un convoi de déportés qui depuis Marseille remonte vers le nord. Que faire ?

Elle fonce dans la rue Pont-du-Gat et achète deux plateaux de pêches de la Vallée du Rhône (bien juteuses) à la première épicerie venue. Zelte retourne à la grille et distribue les fruits aux mains tendues en remontant le long des quelques wagons qui lui sont accessibles.

La rue et les quais de la gare toute proche sont déserts, personne ne l'a vue. Zelte, les jambes en coton, roule au hasard dans la ville avec une seule idée en tête : mettre la plus grande distance possible entre elle et le sinistre convoi.

Il y avait toujours les lève-tôt qui emmerdaient ceux qui ronflaient encore, la culture physique par -20°, le footing, la musculation avec des pavés, les solitaires qui tournaient en rond, totalement hagards, à deux doigts de sombrer dans la démence, la messe en comité restreint (pour les irrécupérables !) et enfin, ceux qui lisaient dehors dans le froid...

Mais les plus admirables étaient les jardiniers, avec leurs carrés de tomates qui n'ont jamais mûri.

Un soir, alors que Chardonnet et moi attendions peinards l'heure de l'appel, deux posten qui faisaient leur ronde ont remonté notre allée.

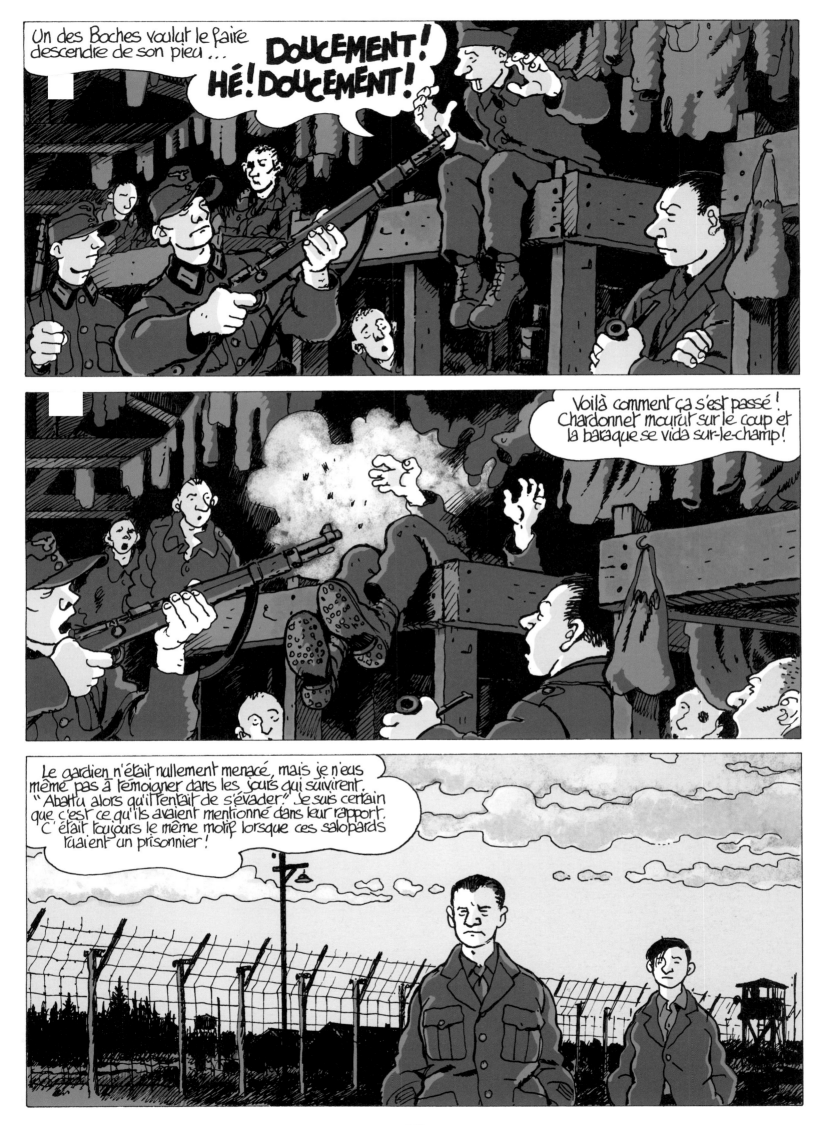

163

Mon copain Chardonnet fut enterré hors du camp, dans le cimetière des prisonniers de guerre. Cercueil en planches à peine rabotées, croix peinte au brou de noix, la moitié de sa plaque matricule en zinc clouée sur le cercueil, l'autre moitié envoyée à sa famille.

Six feldgrau tirèrent les salves d'honneur. Quelle mascarade! J'étais écœuré à en vomir. Il n'y eut pas la sonnerie aux morts. Retour au camp.

Les vieux - quarante ans et plus - râlaient dès qu'on foutait la merde. Ils nous demandaient de mettre de l'eau dans notre vin. Ils nous engueulaient, nous auraient voulus plus disciplinés. Ils auraient léché le cul des Teutons... Puis tout redevint comme avant.

En échange des S.T.O. Laval avait obtenu qu'un nombre équivalent de P.G. volontaires soient transformés en "travailleurs libres". Ces salopards pouvaient loger en ville, circuler librement dans un rayon limité, ne portaient plus d'uniforme, pouvaient écrire chez eux sans restriction et avaient droit à des permissions.

En juillet, les permissions des "transformés" furent supprimées, deux mille d'entre eux n'étant jamais revenus bosser pour le Reich. J'ai appris aussi que Basile n'était pas retourné au S.T.O., suite à une permission. Il se planquait. Il ne voulait plus aller faire le merlan chez les Boches... c'est ce que j'ai cru comprendre... Ta mère était assez floue dans ses lettres.

Il a peut-être rejoint la Résistance ? Le Vercors n'est pas loin de Valence...

Par la radio clandestine, au mois de mai, nous apprîmes que le ghetto de Varsovie n'existait plus. Pour ceux qui déchiffraient l'allemand, la lecture du "Volkischer Bobard", contrebalancée par l'écoute de la B.B.C., permettait de se faire une idée plus objective de la réalité de la guerre. Ceci dit, le "Volkischer" très épais, était excellent pour allumer le feu dans les poêles. L'hiver n'allait pas tarder à se pointer.

166

Des P.G. italiens arrivèrent au camp. L'Italie, trahissant la cause de l'Axe, selon Hitler, avait retourné sa veste et figurait maintenant au rang des Alliés, après avoir signé l'Armistice en septembre. Il faut dire que les Alliés avaient débarqué en Sicile, deux mois plus tôt.

Faut pas croire, petit, mais dans tout ce bordel, il y avait une justice.

Les affaires étaient instruites au stalag et tous les mercredis de chaque quinzaine, les "Gerichtoffizier" (officiers de justice) plus un P.G. à cette époque, mon ami Girardin (qui était substitut dans le civil) allaient à Schneidemühl, à soixante bornes, au tribunal où ils retrouvaient l'accusé enchaîné entre deux Schupos (Schutz-Polizei). Il y avait de tout dans la panoplie des litiges, délits et crimes, mais surtout des histoires de couchéries de P.G. avec des Allemandes, dans les Kommandos.

Mon pote Girardin avait un bureau juste à côté de la Kommandantur. Au tribunal, les sentences du juge, de plus en plus nazi au fur et à mesure des défaites, n'étaient pas tendres. Les Schleus avaient tout un attirail de trucs pour punir, ainsi que des camps de plus en plus vaches, jusqu'en Ukraine.

Face à la férocité du système, certains prisonniers ont préféré s'engager dans la division disciplinaire SS Dirlewanger, composée de salopards et de petites frappes. Ils se feront étriller sur le front Russe... tu vois qu'il y avait une justice!

Les Cercles Pétain avaient fermé boutique.
Les collaborationnistes, eux aussi, tournaient leur veste.

Les premiers Américains à avoir fait leur entrée au Stalag, quelques mois plus tôt, étaient arrivés directement par les airs, à bord de Forteresses volantes descendues en flammes par la Flak. (D.C.A schleu.)

Nos posten avaient pris un coup de vieux.
La viande fraîche à consommer bien saignante, avait été expédiée sur les champs de bataille.
Ils avaient même enrôlé des gosses, paraît-il.
Nous étions maintenant gardés par des types assez âgés, mais pas moins brutaux, à l'exception de quelques très vieux - plus de 50 piges - qui s'étaient fadé les tranchées 14-18 et n'en gardaient pas un très bon souvenir.
"Maudite soit la guerre !"

En plus des activités artistiques et agricoles, il y eut des "académies" en tous genres. Des conférences sur des sujets primordiaux étaient données par des maîtres qui faisaient autorité en la matière – et pas qu'un peu ! Ces brillants cuistres diplômés, qui avaient préféré rester 2ème classe en 39, plutôt que d'utiliser leurs compétences à botter le cul des nazis, dispensaient sans se faire prier leurs cours magistraux.

Mais ces quelques cours ne durèrent pas très longtemps. La plupart des P.G préféraient étudier en solitaire, notamment des langues étrangères. C'était coriace, ils n'allèrent donc pas très loin... Ce fut mon cas avec l'anglais. Le seul avantage de ces tentatives désespérées était de nous faire oublier quelques instants la faim.

Depuis notre arrivée au camp, le manque de nourriture occupait notre esprit à chaque instant. Nous avions faim ! La faim est l'élément fort, obsessionnel, la préoccupation constante de la vie du prisonnier, parce qu'un prisonnier "doit" avoir faim !

Papa, tu l'as déjà dit !

Ça a duré 5 ans ! Tu permets que j'en cause, merde ! J'ai eu les crocs pendant 5 ans ! Merde !

170

Pendant leur captivité, des types en ont profité pour passer le certificat d'études ou le baccalauréat. Ces examens seront homologués au retour. Tu sais, la guerre avait interrompu les études de beaucoup de gars. C'était mon cas.

Mais tu t'es engagé dès 35 !

Tu ne vas quand même pas me le reprocher ! J'avais vu venir le coup. J'étais certain qu'il faudrait se battre... J'ai cru que nos chefs seraient capables de faire face, et là je me suis bien gouré. Mais si c'était à refaire, je recommencerais parce que moi, en tout cas, je me suis battu et je n'étais pas le seul, d'ailleurs ! Tu vois bien que c'est la menace de guerre qui m'a fait quitter l'école pour la caserne ! Et puis, tu commences à m'emmerder !

Il n'y avait pas que des bons élèves, il y avait aussi des bricoleurs... Et des petits métiers en tous genres trouvèrent à s'épanouir sous le ciel gris de Poméranie. Des artisans-ciseleurs qui fignolaient des bagues dans des rondelles de douilles de Mauser... Des fabricants de valises en bois, j'en passe et des meilleures ! Toutes ces horreurs étaient bien sûr destinées à la vente.

L'artiste était généralement entouré de fidèles admirateurs et parmi eux, toujours un ahuri façon Bruegel.

Les Allemands laissaient faire. Du moment que le P.G. restait peinard à son bricolage, c'était même plus la peine de le surveiller. Et puis, il y avait ceux qui œuvraient pour la beauté de l'art. Nous vîmes apparaître des modèles réduits de locomotives à vapeur en boîtes de sardines, des voiliers taillés dans des planches de caisses à munitions, des avions...des architectures...des sculptures. Quant aux portraitistes, peintres, dessinateurs, ils s'occupaient à représenter notre lamentable existence, parfois avec humour. Pour ma part, j'ai dessiné des combats de chars.

Deux américains, Jack Finley et Kenneth Gravenow, de Kenosha (Wisconsin), furent affectés, dans le même bureau que moi, à la trésorerie.

À propos de la trésorerie, dans tes cahiers tu parles de tripatouillages, de sabotages, de faux en tous genres, "Une association d'escrocs", dis-tu. Mais tu ne précises pas en quoi consistaient ces magouillages qui étaient sur le point de foutre le Grand Reich sur la paille... Encore une question que je ne t'ai pas posée et qui reste sans réponse.

Gravenow, dont le grand-père teuton avait émigré aux États-Unis, parlait parfaitement allemand.

Tous les jours, nous provoquions l'Allemand assez hargneux qui nous encadrait à la trésorerie. On l'attaquait dès le matin au sujet de Stalingrad, la magnifique défaite ! Une fois le terrain bien préparé, Gravenow prenait la suite et le ton montait. Le Fritz réagissait très mal et devenait menaçant. Un jour, Kenneth lui a dit : " Pose ta baïonnette et je te fais toucher les épaules par terre ! " Le Fritz a fermé sa gueule en bougonnant. En 40, on n'aurait jamais fait ça... Les temps changeaient, les Amerloques pouvaient se permettre ! En 44, il y avait plus de P.G. allemands aux U.S.A. que de P.G. US en Allemagne.

Maroc, Algérie, Tunisie, Sicile, Italie... et en Italie, Anzio et Cassino, où les Alliés piétinent en ce début 1944. Peut-être que pour certains soldats américains faits prisonniers dans ces "abattoirs", le voyage allait s'arrêter au Stalag II.B, Poméranie Orientale...

Les Ricains, percevaient la bouffe du camp mais n'y touchaient pas. Ils émargeaient aux largesses de la Croix-Rouge et recevaient des rations K et des rations supplémentaires. Ils étaient immensément riches et n'étaient pas vaincus. Et puis la Convention de Genève veillait au grain "Si tu traites mal mes prisonniers, sois inquiet pour les tiens",... C'est bien connu!

Tu as compris que nous n'étions pas exactement dans la même situation. En France, il n'y avait plus un seul P.G. Boche depuis 1940 et Hitler s'était toujours foutu de Laval, de Pétain et de Vichy.

Les P.G. U.S recevaient des colis en pagaille et des tonnes de cigarettes. Ils étaient les rois du "Black market". L'unité de troc était le paquet de "Lucky strike". Trois paquets pour un pain blanc (en provenance directe du Lazarett). Deux paquets pour un pain gris. Ces transactions étaient toujours accompagnées de putains de jurons: Son of a bitch! Fuck you! Kiss my ass! Fuck! Fuck! Fuck! Exemple: Why don't you kiss my ass, you fuckin' son of a bitch?

J'étais devenu pote avec Sack et Ken. J'allais presque tous les jours dans le camp des Américains, leur commenter les évènements militaires recueillis à la B.B.C. Mon anglais était suffisamment bon pour me faire comprendre.

174

Dans les colis de la Croix Rouge U.S., il y avait beaucoup de choses, des serviettes de toilette, des pyjamas et aussi des raisins de Corinthe. Ces raisins, immédiatement collectés, étaient mis à fermenter à l'écart pendant trois semaines, avec de la levure "empruntée" aux boulangers, dans les brocs en alu utilisés pour le café.

Un alambic avait été bricolé et installé dans un trou creusé dans le sable et solidement étayé, en plein milieu du Stalag. Un endroit où personne ne mettait jamais les pieds, même pas les Allemands. Et c'est là que se faisait, de nuit, la distillation, toutes lueurs occultées par des couvertures.

J'étais devenu bouilleur de cru avec les Amerloques. Je n'ai aucune idée du nombre de châlits, provenant des baraques inoccupées au fond du camp, qui brûlèrent pour trois gouttes de gnôle. Mais j'en ai bu de cette gnôle, j'en ai même stocké dans le sol d'une baraque.

On a distillé jusqu'au dernier jour, avec la complicité de Von Seckendorf, le sonderführer francophile dont je t'ai déjà parlé. C'était le seul Allemand au parfum. De notre distillerie clandestine, le Cdt du camp n'a jamais rien su ... Un miracle! Von Seckendorf a été chic. Je crois qu'il a eu des témoignages de P.G. en sa faveur, lors d'un tribunal de dénazification.

Il y eut très peu de types au courant pour la gnôle : Roger, le chef de baraque, Henri, l'officier de justice et Jerzy, un interprète polonais. Mais ça a fini par se savoir. Curieusement, personne n'a mouffé... Et pourtant, c'était pas les délateurs qui manquaient !...

Vous offriez un coup à boire à toute la baraque ?

Lorsque les Teutons avaient des doutes, ou que des mouchards les avaient rencardés, nous avions droit à la fouille. Ils enfermaient tout le monde dans un local vide et s'adonnaient au pillage de la baraque, saccageant tout, virant notre pauvre matériel par les fenêtres, tapant à coups de crosse sur les cloisons, renversant les châlits, par pure sauvagerie.

Lorsqu'on regagnait notre cagna d'origine, les choses essentielles avaient disparu : tabac, savon, conserves... Tout avait été choucrouté au passage. Nos posten aimaient énormément le chocolat. Jusqu'à la fin ils ont cherché les récepteurs radio, sans jamais réussir à mettre la main dessus !

Après la fouille, il ne nous restait plus qu'à faire un tour à la "kantine" où, selon les arrivages, il était possible, pour ceux qui avaient de l'argent, de se procurer une partie des objets volés par les posten, ou d'écluser une canette de bière. Le gros cul a été un véritable problème, du début à la fin.

Gros cul ?

Le tabac !

Les gros fumeurs en ont bavé. À moins d'avoir apporté avec soi les clopes de son régiment, les réserves ont vite été épuisées. Seuls les P.G. qui ne fumaient pas avaient conservé quelques paquets de cigarettes ou de gris qu'on roulait dans du papier Job. La grosse majorité du tabac arrivait avec les kommandos qui rentraient le soir au camp. Les allumettes étaient interdites, l'essence pour les briquets venait de loin. Tout se fumait : des tabacs de provenances diverses, cigarettes polonaises ou russes... ⅓ de carton en longueur et le reste, un peu de tabac et beaucoup de paille.

Les clopes russes ont été vendues aux P.G. dès les conquêtes du Grand Reich à l'est. Pour ces clopes dégueulasses, rationnées, des listes étaient tenues à jour par Roger, le chef de baraque, et présentées à l'autorité du camp. Ça ne collait jamais car les malades, ou ceux qui étaient à l'extérieur, étaient comptabilisés. Les fumeurs de pipe - dont j'étais - grattaient l'écorce des clôtures en pin. On la coupait en menus morceaux et on fumait ça. Je te l'ai déjà raconté, je crois... Le soi-disant thé du matin était troqué, séché au soleil et fumé.
Tout se fumait !

Est-ce que tu as eu droit à la "pelote"?

À plusieurs reprises... ramper, courir, avancer à quatre pattes dans la boue ou la neige, de préférence sur un sol caillouteux ou sur une portion du chemin de ronde agrémentée, pour l'occasion, de fils de fer barbelés... Tout ça pendant des heures, avec deux musettes remplies de briques sur le dos.
Les Nazis s'y entendaient pour trouver des combines raffinées, cruelles et brutales. De très nombreux P.G. y ont laissé leur peau, ici et dans les camps spéciaux.

Nous apprîmes, en août, par la radio clandestine, que la résistance s'organisait à Varsovie dans les ruines du ghetto.

Qu'on m'ait arraché une dent sans anesthésie, au prétexte que les produits anesthésiants étaient reservés à la Wehrmacht, je m'en suis remis, mais il y eut bien pire... Le IIB n'était pas un camp de vacances. Les Anglais qui, eux, continuaient la guerre, ont salement morflé dans leur enclos...
Je t'ai parlé des Polonais et des Russes...
Sadisme, humiliations, coups de crosse et de gummi, exécutions sommaires... Souviens-toi de Chardonnet, assassiné comme tant d'autres sans raison. La sauvagerie au quotidien.
Voilà ce qu'était le Stalag IIB!

Les colis et les lettres cessèrent d'arriver.
Mon pote Roger trafiquait et grâce à lui, nous pûmes, de temps à autre, nous restaurer. La rigueur augmentant, la ration de pain diminua. Certains jours, pas de distribution.
Rien à bouffer!

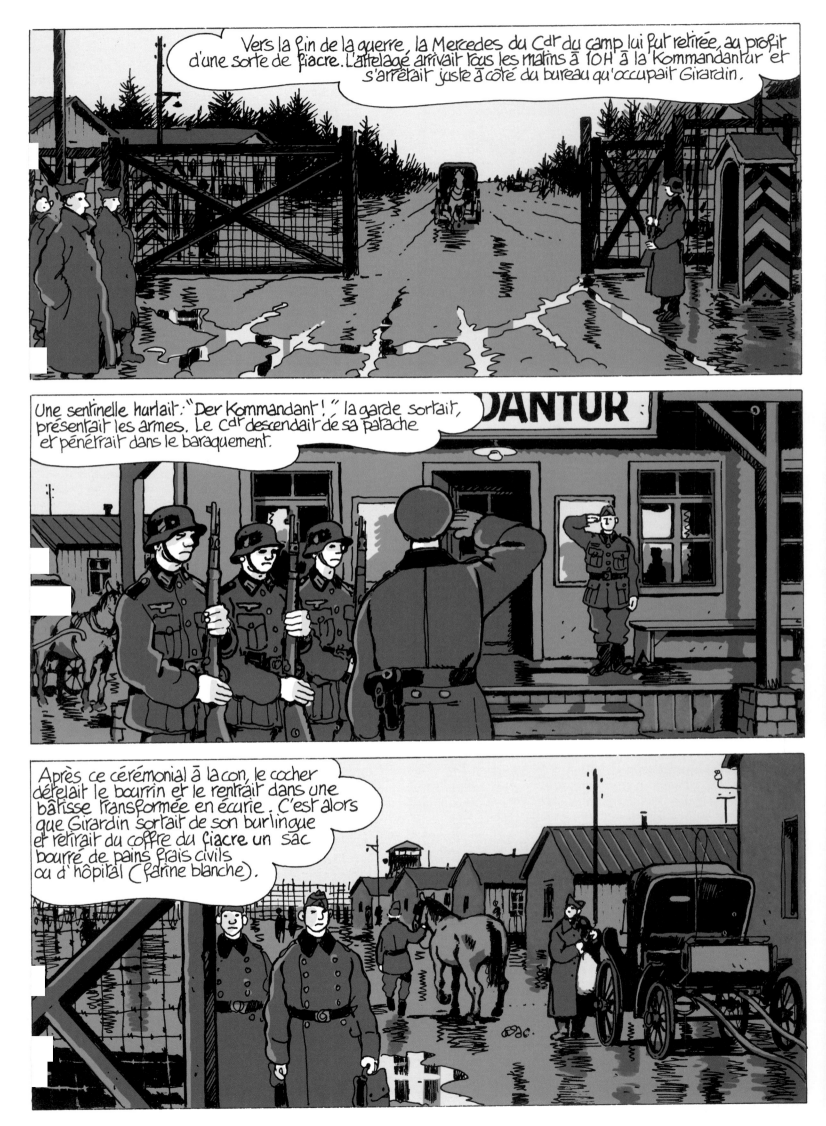

Vers la fin de la guerre, la Mercedes du Cdt du camp lui fut retirée, au profit d'une sorte de fiacre. L'attelage arrivait tous les matins à 10H à la Kommandantur et s'arrêtait juste à côté du bureau qu'occupait Girardin.

Une sentinelle hurlait: "Der Kommandant!" la garde sortait, présentait les armes. Le Cdt descendait de sa patache et pénétrait dans le baraquement.

Après ce cérémonial à la con, le cocher dételait le bourrin et le rentrait dans une bâtisse transformée en écurie. C'est alors que Girardin sortait de son burlingue et retirait du coffre du fiacre un sac bourré de pains frais civils ou d'hôpital (farine blanche).

Girardin planquait le sac dans son bureau et, pendant une heure, c'était le défilé des gars qui venaient prendre livraison du bricheton. Leur précieux butin bien calé sous la ceinture, la capote recouvrant le tout, ils regagnaient leur baraque... Les pélerines de chasseurs alpins, toujours très appréciées pour ces évacuations "alimentaires".

Et ça, tous les jours depuis la réquisition de la Mercedes.

Sais-tu si Drouot-Boy (prononcer bois), de retour à Paris, a repris son boulot chez Hispano-Suiza ? Il paraît que maintenant, cette boîte fabrique des moteurs d'avion pour la Luftwaffe.

Le courrier n'arrive plus.

Paris avait été libéré en août. Bien que toujours bloqués derrière les barbelés, nous sentions le dénouement proche. Du côté des alliés, ça merdait un peu à Bastogne, mais nous connaissions les moyens des Américains.

À propos des Ardennes belges, il semble qu'il n'y ait pas la moindre mine à Malmédy. Votre plan d'évasion n'était pas totalement au point.

Les renseignements que nous avions concernaient la région de Malmédy. Des mines,... des mines... Je ne sais pas, moi, on aurait vu ça sur place.

Bien plus tard, j'appris qu'un détachement d'une division SS de Panzers avait capturé 150 G.I., en avait abattu 86 et avait massacré des dizaines de civils, femmes et enfants compris, non loin de Malmédy.

Le pain n'arrivait plus du tout. "Les Russes ont détruit les camions de farine", nous servait-on comme bobard. Par contre, ce qui était vrai, c'est que les Ruskoffs arrivant de l'est et les alliés de l'autre côté, ça commençait à sentir mauvais pour les Fritz ... Et ça nous remplissait d'espoir.

Ils ne renonçaient pas à l'appel, ce rite vital pour un garde-chiourme de la Wehrmacht. Ils comptaient, ils recomptaient. S'il y avait plus de types que sur la liste du feldwebel, c'était des hurlements. Ils reprenaient le comptage et ça durait des heures, qu'il pleuve ou qu'il vente, pour retrouver un P.G. présent, un en trop, un autre restant introuvable.

Kaiser-Choucroute recommence. Il gueule le nom de chaque P.G.
Il appelle Durand, prononce Dourande, alors Durand ne répond pas.
Grosse colère ! Ça remonte jusqu'au C^ot ! La troupe arrive. Quelquefois il y a des morts.

Quelques mois plus tôt, les P.G. qui bossaient dans les Kommandos
n'étaient jamais à l'heure, à cause de l'appel du matin. Alors, leurs patrons
téléphonaient furibards pour engueuler "Herr Major Kommandant," car les
employeurs, qui payaient une redevance à la Wehrmacht pour chaque
"esclave," n'étaient pas contents du tout !

Les nazis croyaient toujours à l'inéluctable victoire de la "race des seigneurs"...
Des mômes et des vieillards avaient même été enrôlés pour combler les pertes.
Les carottes étaient cuites mais l'appel, toujours l'appel, matin et soir, jusqu'au
dernier moment. Certains jours on en a compté jusqu'à cinq en vingt-quatre heures !
C'est dire s'ils tenaient à nous !

183

En août, les Russes n'étaient pas rentrés dans Varsovie occupée. Ils étaient restés l'arme au pied sur la rive droite de la Vistule. Le bruit a couru qu'ils avaient attendu que les Allemands en finissent avec la résistance polonaise, avant de se remuer le cul.

Nous eûmes la visite d'un troupeau de P.G qui évacuaient leur camp situé plus à l'est et faisaient étape au II B, convoyés par les Boches. Certains de ces P.G. qui avaient eu des contacts avec les Soviétiques, peut-être dans des Kommandos paumés, savaient que plus rien ne les arrêterait. Ils voulaient bouffer du Fritz, se gaver, savoir quel goût ça pouvait avoir.

Nous avons appris par ces types de passage l'existence de camps d'un autre genre. Des camps où des gens étaient exterminés systématiquement, gazés, puis brûlés dans des fours. Des handicapés physiques et mentaux, non conformes aux critères de la "race supérieure" des prisonniers politiques, des homosexuels, des Tziganes et, massivement, des Juifs.

C'est pour cette raison que vous escamotiez les fiches des P.G. Juifs ?

C'était par précaution. La "chasse aux Juifs" avait débuté en Allemagne et en Europe centrale, bien avant la guerre ... Nous le savions. Souviens-toi des gamins accueillis à l'école à Valence, dès 1933...

À la fin décembre, notre homme de confiance, un "char" du Sud-Ouest, un gars gonflé qui résista jusqu'au bout, fut prévenu par la Kommandantur que nous aurions à évacuer le Stalag devant la poussée des Russes.

Malgré notre envie de décarrer, de fuir la riante Poméranie au plus vite, nous n'étions pas emballés par cette perspective parce qu'il neigeait dru et que le thermomètre était descendu à -30°.

Toutefois, nous nagions dans une certaine euphorie. Noël morose... pitreries habituelles. Je pensais très fort à Zette et je sentais que nous allions bientôt nous retrouver. Nous avons commencé à disloquer des châlits et à fabriquer des traîneaux pour embarquer le peu que nous possédions. J'ai fait équipe avec Roger. Nous étions prêts !

N'oublie pas ton pélican !

Il faisait très froid. Le magasin des couvertures fut pillé. La chaleur se maintenait dans les baraques car on brûlait tout ce qui était combustible. On a brûlé dans les poêles en briques jusqu'aux poteaux électriques débités en bûches. Les Fritz, débordés, essayaient de maintenir à coups de ummis, un semblant de "dizipline"... peine perdue !

Le 29 janvier 1945, l'ordre fut donné d'évacuer le camp.

On ne trouvait plus notre curé... Il n'était pas là. On l'a cherché pour la forme. Dans sa baraque, ses voisins de lit et de religion lui avaient préparé ses affaires et sous son pieu, sous le carrelage de la cagna, dans une cache bien étayée dans le sable du sol, on a trouvé une caisse pleine de saucisses et de pâtés, que le représentant de commerce de Dieu sur terre avait mise de côté pour sa propre consommation. C'était les dons des chrétiens des Kommandos agricoles pour les P.G. sous-alimentés.

On lui a bouffé illico sa charcuterie. Il n'aurait jamais pu torforer tout ça tout seul, ça l'aurait rendu malade.

Une bonne action, en somme !

Pour le départ, les colonnes devaient être formées par nationalité.

Les Américains étaient déchaînés !
L'un d'eux, Johnny Sprague, monta sur le toit
d'une baraque et joua inlassablement du jazz devant
des milliers de types surexcités, puis il termina par "Stars and Stripes"!

Les sifflements enthousiastes des P.G. U.S. couvraient les
applaudissements à tout rompre des autres. Et tout ça dans la nuit,
le froid, le vent, sous la neige qui tombait à l'horizontale, droit
sur le visage... Crois-moi, c'était grandiose !

Je ne me souviens pas que nous ayons entonné La Marseillaise.

Au petit matin, nous reçûmes l'ordre de nous mettre en colonnes pour sortir du camp. Avec Roger, nous n'avions rempli notre traîneau que de boîtes de café soluble Barrington et de paquets de Lucky Strike. Nous nous étions placés en queue de colonne avec les Ricains, qui avaient tous des snow-boots en caoutchouc. Quant à nous, les Français, nous étions mal équipés... comme d'habitude !

Kriegsgefangenen
Mannschaftsstammlager IB

J'ai franchi la porte du Stalag sans me retourner. Je venais de passer quatre ans et huit mois -1680 jours !- dans ce cul-de-basse-fosse poméranien et j'en voulais à la terre entière ...à nos chefs, à l'Armée, à la France ! J'avais des envies de meurtre !

Papa, tu dis ça parce que tu es en colère.

Où est-ce qu'ils vous emmènent ?

Je n'en sais rien... certainement pas à l'est !

Je ne pouvais pas savoir, bien sûr, que le voyage allait être aussi long et mouvementé... Mais un de ces quatre, je te raconterai mon retour...et la suite !

FIN DE LA PREMIÈRE PARTIE

188

AUTRES OUVRAGES DE TARDI

BANDES DESSINÉES

Éditions Casterman

ADIEU BRINDAVOINE
suivi de LA FLEUR AU FUSIL

Adèle Blanc-Sec
1. ADÈLE ET LA BÊTE
2. LE DÉMON DE LA TOUR EIFFEL
3. LE SAVANT FOU
4. MOMIES EN FOLIE
5. LE SECRET DE LA SALAMANDRE
6. LE NOYÉ À DEUX TÊTES
7. TOUS DES MONSTRES !
8. LE MYSTÈRE DES PROFONDEURS
9. LE LABYRINTHE INFERNAL
LE LIVRE D'ADÈLE
Avec Nicolas Finet

LE DÉMON DES GLACES

ICI-MÊME
Scénario de Jean-Claude Forest

UNE GUEULE DE BOIS EN PLOMB
D'après les personnages de Léo Malet

C'ÉTAIT LA GUERRE DES TRANCHÉES
« Eisner Award 2011 de la meilleure œuvre réaliste »
« Eisner Award 2011 de la meilleure édition étrangère »

NEW YORK MI AMOR
Avec Dominique Grange et Benjamin Legrand

PUTAIN DE GUERRE ! 1914-1915-1916
PUTAIN DE GUERRE ! 1917-1918-1919
Avec Jean-Pierre Verney

Édition Futuropolis Gallimard

LA DÉBAUCHE
Scénario de Daniel Pennac

POLONIUS
Scénario de Philippe Picaret

RUMEURS SUR LE ROUERGUE
Scénario de Pierre Christin

Éditions Futuropolis

LA VÉRITABLE HISTOIRE DU SOLDAT INCONNU
suivi de LA BASCULE À CHARLOT

LE SENS DE LA HOUPPELANDE
Nouvelle de Daniel Pennac

Éditions Sarbacane

FRÉROT FRANGIN
Texte de Thierry Maricourt

Éditions L'Association

VARLOT SOLDAT
Scénario de Didier Daeninckx

ADAPTATIONS

Éditions Casterman

Nestor Burma
CASSE-PIPE À LA NATION
BROUILLARD AU PONT DE TOLBIAC
120, RUE DE LA GARE
M'AS-TU VU EN CADAVRE ?
D'après les romans de Léo Malet

JEUX POUR MOURIR
D'après Géo-Charles Véran

LE DER DES DERS
D'après le roman de Didier Daeninckx

Le Cri du Peuple
1. LES CANONS DU 18 MARS
2. L'ESPOIR ASSASSINÉ
3. LES HEURES SANGLANTES
4. LE TESTAMENT DES RUINES
INTÉGRALE
D'après le roman de Jean Vautrin

LE SECRET DE L'ÉTRANGLEUR
D'après le roman de Pierre Siniac

1968-2008... N'EFFACEZ PAS NOS TRACES!
D'après les chansons de Dominique Grange

DES LENDEMAINS QUI SAIGNENT
En collaboration avec Jean-Pierre Verney
D'après les chansons de Dominique Grange

Éditions Futuropolis

LE PETIT BLEU DE LA CÔTE OUEST
LA POSITION DU TIREUR COUCHÉ
Ô DINGOS, Ô CHÂTEAUX !
D'après les romans de Jean-Patrick Manchette

ROMANS ILLUSTRÉS

Éditions Futuropolis Gallimard

VOYAGE AU BOUT DE LA NUIT
CASSE-PIPE
MORT À CRÉDIT
Romans de Céline

LE SERRURIER VOLANT
Roman de Benacquista

CATALOGUES

Éditions Casterman

TARDI EN BANLIEUE
Préface de Jean Vautrin

Éditions Christian Desbois

TARDI PAR LA FENÊTRE

Éditions Casterman / Musée de la Poste

GUERRE ET POSTE
Textes de Laurent Albaret

DESSINS

Éditions Futuropolis

MINE DE PLOMB
CHIURES DE GOMME

JC Menu Éditeur

CARNET

CINÉMA

Éditions Casterman

UN STRAPONTIN POUR DEUX
En collaboration avec Michel Boujut

COLLECTIF

Éditions Futuropolis

GRANGE BLEUE
Dominique Grange, Georges Pichard, Enki Bilal, Tardi

les différents champs de bataille : Finlande - Norvège. Danemark. Belgique - France - les autres viennent plus tard.

- différents organismes du camp -

① - en arrivant au camp, tout le monde va dans les tentes du cirque, y dispose ses musettes ou sacs, et on les par petits groupes part dans un de ces nombreux petits camps d'attente où les gars sont triés.

② - Ensuite, toujours encadrés, on part à la Kartei qui se traduirait en français par fichier. À des tables des gars de toutes nationalités se donnent beaucoup d'importance et sont en principe très français. Déjà un maffia. Avec des Dollmetscher (- Interprètes) ils établient une fiche et une photo à chaque P.G. et une plaque d'"identité" accrochée au cou. Et là tu étales ton curriculum vitae aux interprètes. Selon que le mot d'ordre du camp était : "on va relâcher les briseurs de charbon", aussitôt tout le monde se déclarait pour profession briseur de charbon.

③ Douches - épouillage. tout le monde se rend aux douches, est aspergé de poudre anti-morpions et enfin la boule à zéro.

Honnêtement, le commandement du camp nous a foutu la paix quant à la longueur des cheveux. Bien sûr qu'un gars qui n'aurait pas respecté la juste longueur aurait été tondu à zéro.